COLEÇÃO ENSAIOS
TRANSVERSAIS

# Educação:
# projetos e valores

Todos os direitos desta edição reservados
Escrituras Editora e Distribuidora de Livros
Rua Maestro Callia, 123  Vila Mariana  04012-100
São Paulo, SP  –  Telefax: (0XX11) 5082-4190
Site: www.escrituras.com.br
e-mail: escrituras@escrituras.com.br

Coordenação editorial
Raimundo Gadelha

Imagem da Capa
Le Modèle Rouge (original: 55,9x45,8 cm)
René Magritte (1935)
Musée Nationale d'Art Moderne
Centre Georges Pompidou, Paris
Livro: MAGRITTE, por Jacques Meuris
New York, ARTBRAS Publishers, 1988

Capa e abertura de capítulos
Daniela Wajman

Impressão
Lis Gráfica

**Dados Internacionais de Catalogação na Publicação (CIP)**
**(Câmara Brasileira do Livro, SP, Brasil)**

Machado, Nílson José
    Educação: projetos e valores / Nílson José
    Machado. --São Paulo: Escrituras Editora, 2000.
    -- (Coleção ensaios transversais)

Bibliografia.

1. Avaliação educacional  2. Educação - Filosofia
3. Educação - Finalidades e objetivos
4. Interdisciplinaridade na educação
5. Valores sociais I. Título. II. Série.

00.1322                                    CDD- 370.1

Índices para catálogo sistemático:
1. Projetos e valores: Educação: Filosofia
370.1

Nílson José Machado

COLEÇÃO ENSAIOS
TRANSVERSAIS

# Educação:
# projetos e valores

escrituras

Prêmio APCA 1999
Melhor Produção Editorial

# Sumário

# Educação: projetos e valores

## Apresentação

No discurso educacional, as palavras *projeto* e *valor* ocupam, seguramente, um lugar de destaque. Compõem um par indissociável, tal como o são os elementos dos pares transformação/conservação e cultura/educação. Como seres humanos, não vivemos sem projetos; mas as metas que elegemos são sempre sustentadas por uma arquitetura de valores. Os projetos que alimentamos - e que nos sustêm - antecipam transformações em busca de uma realidade que prefiguramos e que queremos construir; os valores representam aquilo que queremos conservar conosco, o que queremos levar na viagem rumo ao novo. Assim, por mais que a dimensão transformadora da Educação exerça um enorme fascínio no discurso educacional, ela não existe sem sua face especular, que é a conservação.

Os textos que compõem esta coletânea oferecem subsídios para uma compreensão mais nítida da importância das idéias de projeto e de valor no universo educacional. Nas análises realizadas, as dimensões filosófica e antropológica são mais exploradas do que a metodológica em sentido estrito. Os dois capítulos iniciais não constituem um manual para o trabalho com projetos, ou para uma atuação na sala de aula no pantanoso terreno dos valores, mas sim de uma reflexão sobre idéia mesma de projeto e sobre um conjunto de valores considerados fundamentais para a sustentação dos projetos educacionais, em todos os contextos. Complementam estes capítulos dois outros, diretamente relacionados com a problemática da avaliação educacional. O primeiro reúne um elenco de desafios a enfrentar, no terreno da avaliação, associados a palavras-chave, consideradas verdadeiros motes na tentativa de superá-los; o segundo, analisa duas noções sem as quais a idéia de avaliação reduz-se a mera cobrança de conteúdos específicos, sem a consciência de sua relevância: a interdisciplinaridade e a contextuação.

As idéias apresentadas nestes textos foram elaboradas nos últimos dois anos, durante os quais o autor proferiu palestras para professores das redes pública e privada, nos três níveis de ensino, sobretudo - mas não exclusivamente - em São Paulo. Muitas observações aqui registradas decorreram de questões formuladas pelos colegas, professores nos debates que se seguiam. Tal profícua interação certamente foi fundamental para muitas correções de rumo. A publicação de tais idéias sob a forma de livro significa, apenas, que as possibilidades de diálogo estarão sendo ampliadas. Todas as críticas ou sugestões serão sempre bem vindas.

Durante o período em que estes textos foram escritos, o autor foi contemplado com uma Bolsa de Produtividade em Pesquisa do Conselho Nacional de Desenvolvimento Científico e Tecnológico, realizando um projeto de pesquisa intitulado "Educação e Cidadania: uma investigação sobre as idéias de projeto e de valor". O material aqui apresentado é parte do Relatório Final do referido projeto.

Como observação final, mencione-se que, embora exista certa ordenação natural, o texto de cada um dos quatro capítulos foi redigido de modo a poder ser lido independentemente dos outros, em qualquer ordem. Em decorrência desta intenção, a reiteração em mais de um texto de algumas das idéias apresentadas foi inevitável. A expectativa é a de que a insistência em alguns pontos possa ser justificada pela efetiva relevância dos mesmos, a ser conferida pelo leitor, ao final.

*São Paulo, março de 2000*
*Nílson José Machado*

# 1

# Sobre a idéia de Projeto

*A riqueza dos valores propostos e dos projectos vigentes indica a
saúde de uma cultura. Boa parte da juventude padece de
indolência de projectar, que é mais um tipo de impotência
induzida.*

*(MARINA, 1995, p.192)*

## Introdução

Explicitamente, a palavra *projeto* costuma ser
associada tanto ao trabalho do arquiteto ou do engenheiro quanto a trabalhos acadêmicos, às etapas iniciais na
preparação de leis, ou ainda, à estruturação de planos de
ação educacional, política ou econômica. Tacitamente,
no entanto, a idéia de projeto está presente em contextos
muito mais abrangentes, muito menos técnicos, muito
mais pessoais, dizendo respeito a praticamente todas as
ações características do modo de ser do ser humano.

De fato, em sentido humano, a própria vida
pode ser identificada como um contínuo pretender ser,
uma tensão em busca de uma pretensão, na feliz expressão de MARÍAS (1966). Projetam, portanto, todos os
que estão vivos, todos os que antecipam cursos de ação,
os que concebem transformações de situações existentes
em outras imaginadas e preferidas, elegendo metas a

serem perseguidas, tanto em termos pessoais quanto em termos coletivos, o que situa a idéia de projeto no terreno próprio do exercício da cidadania.

A escolha das metas, no entanto, sempre se dá em um cenário de valores socialmente acordados. Daí a associação imediata entre as idéias de projeto e de valor, e seu interesse fundamental para a Educação. A fractalidade da idéia de projeto torna-a especialmente relevante, envolvendo tanto os trabalhos com projetos, em sentido metodológico, quanto o projeto pedagógico, ou o do estabelecimento, ou ainda o educacional em sentido amplo, passando, naturalmente, pelos projetos pessoais dos alunos e dos professores.

O objetivo principal do presente trabalho é analisar a idéia de projeto nessa perspectiva abrangente, que inclui tanto sua dimensão metodológica quanto a biológica, a psicológica, ou a política, sem separá-la do *outro* que a complementa, qual seja, a idéia de valor. Em sintonia com BOUTINET (1996), busca-se amealhar elementos para a construção do significado antropológico do termo, que perpassa todo o universo de questões educacionais.

## 1.1 Proximidades/Etimologia

Etimologicamente, a palavra *projeto* deriva do latim *projectus,* particípio passado de *projícere,* significando algo como um jato lançado para frente. Cada ser humano, ao nascer, é lançado no mundo, como um jato de vida. Paulatinamente, constitui-se como pessoa, na medida em que desenvolve a capacidade de antecipar ações, de eleger continuamente metas a partir de um

2

quadro de valores historicamente situado, e de lançar-se em busca das mesmas, vivendo, assim, a própria vida como um projeto.

Ainda no terreno etimológico, duas famílias de proximidade podem contribuir para uma explicitação da idéia de *projeto*: no que tange ao prefixo, ela se articula com os significados de *problema* e *programa;* no que se refere à raiz, partilha uma ambigüidade fecunda com palavras como *sujeito, objeto, trajeto.*

De fato, *programa* origina-se de *gramma* (*letra*, como em "gramática"), ou "o que foi escrito anteriormente". Representa uma exposição sumária, feita antecipadamente, de algo que se intenta oferecer, seja um espetáculo musical, uma lista de conteúdos de determinada disciplina, ou as putativas metas de um partido político. Já um *problema*, em sintonia com a palavra *emblema*, é algo que se apresenta diante de nós, uma dificuldade objetiva que deve ser assumida subjetivamente. Ao longo de toda a existência, deparamos com situações-problema, a partir das quais crescemos como pessoas. De modo sintético - ou mesmo emblemático - poder-se ia afirmar que cada ser humano é como um misterioso programa, que se desenvolve por meio dos problemas enfrentados, na busca da realização dos projetos que nos caracterizam como pessoa.

No sistema de proximidade associado à raiz *jactum*, há as palavras *sujeito,* derivada de *subjectus/subjícere* (lançado de dentro, de baixo, ou do fundo), ou *objeto,* de *objectum/objícere* (lançado diante, exposto), ou ainda, *trajeto,* de *trajectus/trajectare* (passagem através de). Todas têm um significado relativamente ambíguo, que talvez seja mais explícito em *sujeito*, que tanto designa o que é submetido à ação, quase equivalente a objeto, quanto o que submete, o que realiza ação. Também *objeto* pode nomear tanto o objetivo de uma ação de transformação do real quanto a porção da realidade na qual tal ação se efetua; e *trajeto* pode nomear, igualmente, o caminho já percorrido ou o caminho a percorrer. No caso do *projeto*, a palavra designa igualmente tanto aquilo que é proposto realizar-se quanto o que será feito para atingir tal meta. As palavras de LICHNEROWICZ (apud BARBIER, 1993, p. 57) são elucidativas: *"Se no século XVII o projecto é simplesmente uma ideia de acção, bem depressa, no decurso do século XVIII, a palavra assume o sentido de plano que visa realizar essa ideia."*

A relativa ambigüidade de tais palavras, longe de constituir-se em problema a ser superado, situa-se, como se vê, na raiz de tais noções, abrindo caminho para o estabelecimento de fecundas articulações entre os elementos de pares como sujeito/objeto, interior/exterior, forma/conteúdo, processo/produto, individual/social, entre outros.

Ainda no terreno da semântica, particularmente na língua inglesa, a idéia de projeto, tal como se esboça a partir de sua etimologia, articula-se de modo significativo com a de desenho, ou *design*, cujo significado atual parece representar mais fielmente a idéia de projeto do que *project*. De fato, à palavra *project* parece associar-se muito facilmente certa conotação técnica, como no caso das perspectivas, ou das projeções cartográficas, enquanto a palavra *design* mantém uma relação mais direta com as idéias de plano, concepção, criação, esboço, desenho. O próprio SIMON, ao escrever "As Ciências do Artificial" (1969), denominou o capítulo em que trata da "ciência do projeto" de "The Science of Design".

Mais modernamente, sobretudo após a Revolução Industrial, a palavra *design* teve seu significado bastante enriquecido, aproximando as idéias de estilo, criação, concepção, e as de cópia, de padrão de reprodutibilidade, no terreno da estética industrial. Já faz algum tempo que o *designer* é um profissional indispensável numa equipe de projetos industriais, sendo sua atuação mais diretamente associado à criação de formas, à emergência do novo, ou à própria concepção de inteligência. Muitos profissionais da indústria endossariam as palavras de Frank PICK (1878-1941), um ex-Presidente da British Design and Industries Association: *"Good design is intelligence made visible"*. De modo geral, no entanto, a importância especial da idéia de *design* enquanto projeto em seu sentido mais legítimo deve ser associada à singular mediação realizada entre a criação individual e a intenção de reprodução, entre a centelha do novo e a consolidação de padrões no imaginário coletivo.

## 1.2 Projetos: características fundamentais

Apesar de toda a abrangência e fractalidade, a idéia de projeto apresenta algumas características gerais, alguns ingredientes fundamentais sem o que não se pode ter senão uma pálida idéia de seu significado. Três deles serão aqui analisados: a referência ao *futuro*, a abertura para o *novo* e o caráter *indelegável* da ação projetada. Comentaremos brevemente cada um deles, no que segue.

Como esboço, desenho, guia da imaginação ou semente da ação, um projeto significa sempre a antecipação de uma ação, envolvendo uma referência ao futuro. Distingue-se, no entanto, de uma de previsão, de

5

uma simples visão prospectiva ou de uma conjectura, que são, muitas vezes, efetivamente, representações antecipadoras, mas que não dizem respeito, de modo algum, a um futuro que está sendo gestado, de uma realidade que está sendo construída. Não existe propriamente projeto quando apenas são anunciados acontecimentos susceptíveis de ocorrer, ou previsões sobre evoluções possíveis do real, passíveis de serem consideradas na elaboração das estratégias dos agentes, ou ainda, quando se sonha com algo ou se vislumbra uma imagem cuja realização não depende do agente. As palavras de BARBIER (1994, p.52) sublinham de modo preciso o que se afirmou anteriormente: *"O projeto não é uma simples representação do futuro, do amanhã, do possível, de uma ideia; é o futuro a fazer, um amanhã a concretizar, um possível a transformar em real, uma ideia a transformar em acto."*

Sem dúvida, não há projeto sem essa necessária referência ao futuro. De modo direto, poder-se-ia afirmar: não se faz projeto se não há futuro - ou não se acredita haver; simetricamente, sendo a realidade uma construção humana, pode-se afirmar também que o futuro não existe - ou não existirá - sem nossos projetos.

Passemos à segunda característica fundamental da idéia de projeto, qual seja, a abertura para o novo. Trata-se de uma verdadeira armadilha no caminho de um uso próprio da palavra. De fato, uma concepção rigorosamente determinística do real elimina completamente a idéia de projeto. Se o futuro existe mas já está totalmente determinado, também não se faz projeto. Certa abertura para o desconhecido, para o não-determinado, para o universo das possibilidades, da imaginação, da criação, para o risco do insucesso são ingredientes necessários. Na eleição das metas de um projeto, um

6

grande desafio consiste precisamente nesta fuga às certezas, à tentação da determinação. Não se faz projeto quando só se tem certezas, ou quando se está imobilizado por dúvidas. Dizendo-o da forma mais direta possível: um "projeto" condenado ao sucesso não é um projeto em sentido próprio, assim como não o é um "projeto" condenado ao fracasso. A sabedoria do projetar consiste na fixação de metas que podem ser atingidas independentemente dos agentes, ou tão imediatas que não sejam suficientes para motivá-los; mas que também não sejam tão inacessíveis que semeiem a sensação de impotência ou de desamparo.

Uma terceira característica da idéia de projeto apesar de verdadeiramente acaciana, freqüentemente costuma ser esquecida: um projeto é a antecipação de uma ação, envolvendo o novo em algum sentido, mas *uma ação a ser realizada pelo sujeito que projeta*, individual ou coletivamente. Em outras palavras: não se pode ter projetos pelos outros. Por mais bem intencionado que esteja, um pai não pode ter projetos pelo filho; quando tal ocorre, isso em geral é motivo de infelicidade de pelo menos um dos dois, quando não de ambos. No mesmo sentido, um professor não pode impacientar-se tanto com o insucesso de seu aluno, ou desejar ajudar com tanto entusiasmo que tente determinar as metas a serem atingidas pelo outro, ou realizar as ações projetadas em seu lugar. Assim como não se pode viver pelo outro, não se pode ter projetos por ele.

Garantidos os três elementos anteriormente referidos - a antecipação de uma ação em busca de uma meta, em um futuro não determinado, cuja realização depende efetivamente dos agentes - a capacidade de projetar pode ser identificada como o traço mais característico da atividade humana. O modo de ser do ser humano é o permanente pretender ser. Quem não pretende coisa alguma, que não tem qualquer meta a ser atingida, verdadeiramente não é. Lançados no mundo como num jato, "a vida nos é disparada à queima-roupa", na emblemática expressão de ORTEGA Y GASSET (1983). Desde então, como seres biológicos que vivenciam um quadro de valores histórica e culturalmente situados, lançamo-nos em busca de metas, construindo trajetórias vitais que nos caracterizam como pessoas. Na vida de cada indivíduo, nada está determinado de modo absoluto, nem pelos genes, nem pelo local de nascimento, nem pela família. Diferentemente das pedras, das plantas ou dos animais, nossas circunstâncias nos constituem; solidários com elas, projetamos e construímos nosso destino. Há uma máxima hermética que afirma :

> *"Planta um pensamento e colherás um ato;*
> *Planta um ato e colherás um hábito;*
> *Planta um hábito e colherás um caráter;*
> *Planta um caráter e colherás um destino."*

Sinteticamente poder-se-ia afirmar: não só é próprio do ser humano não viver sem projetar, como o é fazer da própria vida um projeto. Marx recorreu à idéia de projeto para distinguir o trabalho humano da atividade de uma aranha ou das construções de um castor. Mais recentemente, nos debates sobre o significado da inteligência e a possibilidade de uma "Inteligência Artificial", novamente a capacidade de ter "vontades", iniciativas, de criar, de cultivar sonhos ou ilusões, em outras palavras, de ter projetos, tem sido considerada a característica humana distintiva, tanto em relação aos animais

8

como em relação às máquinas. Um computador, por mais sofisticação que venha a ostentar, ainda que possa vir a realizar certas operações similares às realizadas pela mente humana, jamais alimentará sonhos ou ilusões, nunca será capaz de ter projetos "pessoais". Julián MARÍAS sintetizou tal caracterização com maestria ao afirmar: *"La realidad humana es primariamente preten-* ✳ *sión, proyecto" (MARÍAS, 1988, p.38)*.

Sem projetos, portanto, não existe vida, em sentido humano. Tanto em sentido pessoal quanto em sentido coletivo, a idéia de crise está sempre associada a uma ausência de, ou a uma transformação radical nos projetos que nos mantêm vivos ou nos valores que os sustentam. Excluindo-se o ponto de vista religioso, a morte é o fim de todos os projetos. Desde a idéia original de religação do ser humano com Deus, as religiões, em seus múltiplos avatares, buscam projetar uma outra vida, extraterrena, ou fazer o homem projetar-se até ela.

## 1.3 Antes dos projetos: ilusões, utopias,...

Se é verdade que a capacidade de ter projetos é que nos torna verdadeiramente humanos, também parece sê-lo o fato de que existe algo que é anterior a todos os projetos, algo que nos mantém vivos e é condição de possibilidade de todo projetar. O nome desse algo pode variar segundo a visão de mundo, a religião que se professa, ou em diferentes sistemas filosóficos. Pode-se chamá-lo de "esperança", como em São Paulo ou Santo Agostinho; de "élan vital", como em Bergson; de "vontade", como em Schopenhauer ou em Nietzsche; de "ilusão", como em Marías: qualquer um desses nomes é suficiente para recordar a importância das instâncias anteriores ao projetar propriamente dito.

Em seu fundamental trabalho "La espera y la esperanza", publicado originariamente em 1957, ENTRALGO (1984) examina de modo percuciente a anterioridade da esperança relativamente à idéia de projeto. Percorre uma longa trajetória, que se inicia com a esperança cristã, mas que assume a perspectiva secular, como em Kant, em Comte ou em Marx, examinando, naturalmente, nos tempos modernos, a angústia ou a deseperança, como em Heidegger ou em Sartre. Mais recentemente, MARINA (1997) produziu um trabalho menos enciclopédico mas não menos instigante, denominado "El mistério de la voluntad perdida", onde examina as razões do desaparecimento ou da subestimação da idéia de "vontade" nos livros atuais de psicologia.

Mesmo sem chegar ao ponto de estabelecer, como Calderon de la BARCA, que "la vida es sueño", no que se segue, examinaremos a existência desse elemento anterior à idéia de projeto, concentrando as atenções em duas noções iluminadoras de tal idéia: a ilusão e a utopia.

Em sua conotação mais freqüente, em várias línguas, a palavra ilusão ostenta uma face negativa, caracterizando-se como irrealidade, engano ou erro. Em todas as línguas, no entanto, tal palavra apresenta outra face, de conotação positiva, associada às idéias de imaginação, de fantasia, de utopia e de projeto. Na língua portuguesa, por exemplo, em qualquer situação, poucos são os que se orgulham de estar "desiludidos" a respeito de qualquer tema; quase todos gostariam, portanto, de "ter ilusões", ou de não ter perdido as esperanças, ainda que isso não signifique "estar iludidos" no sentido inicialmente referido. Inúmeras canções populares registram tal dimensão positiva da idéia de ilusão, associando-a diretamente à idéia de felicidade. "Nada além de uma ilusão" é um verso de uma delas.

Em espanhol, estar "ilusionado" tem um sentido marcadamente positivo, como sublinha MARIÁS (1985) em seu notável *Breve Tratado de la Ilusión*. Como explica o mestre espanhol, etimologicamente, a palavra deriva do latim, onde o substantivo *illusio* procede do verbo *illudere*, cuja forma simples é *ludere*, associada a *ludus*, que quer dizer jogo. "Ter ilusões", portanto, é achar que vale a pena estar no jogo, é permanecer jogando, seguindo as regras e buscando os resultados; não ter ilusões é crer que não vale a pena prosseguir seguindo as regras, é desistir de jogar o jogo da vida.

De modo geral, algumas das decisões mais importantes, no curso de nossa vida, dependem diretamente de nosso "estoque" de ilusões. Sem ilusões, particularmente sem ilusões pelo outro, é provável que alguém não chegue a casar-se (o que não é idêntico a afirmar-se que só se casam os iludidos...). Sem ilusões, é provável que não se tome a decisão de ter um filho. Os problemas do mundo, a fome, a guerra, o desemprego são elementos demasiadamente atemorizadores para os desiludidos, que concluem melancolicamente: não vale a pena. Sem ilusões, não se é - ou se permanece - professor. Um professor precisa de ilusão pelos alunos. Precisa acreditar na semeadura, na fecundidade de um trabalho que, sob muitos aspectos, assemelha-se ao de Sísifo, condenado a rolar eternamente morro acima uma pedra que, noite após noite, retorna à base do morro.

Convém sublinhar que a palavra *ludus,* que se situa na origem da palavra *ilusão,* associa-se a jogos que envolvem ação, diferenciando-se de *iocus,* que pode ser um jogo verbal; embora tal distinção tenha paulatinamente se matizado, a associação radical entre a ilusão e a ação pode contribuir para a compreensão das conexões entre jogos, ilusões e projetos. Se é verdade que não se vive só de sonhos, só de ilusões, que nos alimentamos como seres humanos dos projetos que realizamos, também o é que sem sonhos, sem ilusões, sem *élan vital*, sem esperança, sem vontade de viver - ou de jogar - não se fazem projetos.

A comum associação entre a vida em sentido humano e um jogo já foi explorada de modo instigante e fecundo em diferentes perspectivas por autores como CAILLOIS (1986), HUIZINGA (1972) ou BALLY (1958). A caracterização do homem como "o animal que joga", que joga durante toda a vida e que faz de sua própria vida um jogo encontra-se presente em todos eles, fazendo coro com o poeta SCHILLER (1759-1805), que afirmara: *"Sólo juega el hombre cuando es hombre en todo el sentido de la palabra, y es plenamente hombre sólo cuando juega"* (apud BALLY, 1958, p.8). O fascínio exercido pelos diversos tipos de jogos em todas as épocas ou culturas, que se manifesta tanto no desempenho dos jogadores ou atletas como no entusiasmo dos torcedores, é um indício da existência de uma dimensão essencial da vida humana com a qual eles diretamente se relacionariam. A perenidade da importância dos jogos, individuais ou coletivos, dos esportes e de competições como as Olimpíadas, precisa ser compreendida, não refutada. O próprio significado original do verbo competir, ou "pedir junto com", somente no latim tardio aproximou-se decisivamente do de uma luta, uma disputa em que, para alguém ganhar, alguém tem que perder.

Mesmo no caso específico das loterias, que carecem de um estudo estatístico aprofundado, investigando possíveis correlações com a crescente concentração de renda no mundo, a tripla associação entre jogos, ilusões e projetos não pode ser desprezada: ninguém compra um bilhete sem a expectativa ilusória (ou "ilusionante") de vir a ganhar, e ninguém pretende ganhar senão para realizar seus projetos pessoais. Assim, algumas vezes, comprar um simples bilhete pode significar, de modo simbólico, um atestado de "estar no jogo", um micro-exercício da capacidade de projetar. Obviamente, tal declaração simbólica tem aqui apenas uma função indiciária; desvinculada de formas efetivas de projetos, estruturados a partir de uma arquitetura de valores, e que visem a uma ação transformadora do real, tal simbolismo tem a eficácia de um furo n'água.

Examinemos, de passagem, a associação entre projetos e utopias. Convém, em rápidas palavras, registrar algumas distinções fundamentais entre ilusões e utopias. As utopias são como formas radicalizadas de projetos, que visam, em geral, à comunidade humana em seu conjunto, não sendo delimitadas geográfica ou temporalmente. Realizam-se em lugar nenhum, em tempo algum, não tendo o compromisso com o futuro, característico da idéia de projeto. A palavra origina-se do grego: *ou* (não) + *topos* (lugar). Foi criada pelo chanceler inglês Thomas Moore, como título de seu livro sobre política, indicando o nome de um país inexistente, meramente imaginário. Porque se referem sempre à sociedade inteira, não se poderia falar de "utopias pessoais" senão por um abuso de linguagem; pela ausência de compromissos com a ação, com a realização do que se antecipa, também não faria sentido falar-se, em sentido próprio, de "utopias possíveis", ou de "utopias realizáveis".

Por via analógica, utopias costumam ser associadas a coisas impossíveis de se realizar, ou a desejos vãos. Por outro lado, sonhos, ilusões, e particularmente utopias são essenciais para alimentar a imaginação no caminho para a elaboração de projetos. Todos os seres humanos deveriam ter utopias, no sentido de serem capazes de imaginar um mundo que funcionasse de um modo considerado mais adequado. Não o mundo pessoal de cada um de nós, mas a sociedade humana, em sentido amplo. As utopias decorrem sempre de um modo imaginário racional, contrapondo-se, até certo ponto, ao caráter tópico ou à fluidez antecipatória dos projetos, que podem, às vezes, comprometê-los demasiadamente com a ação ou descomprometê-los com a perspectiva da totalidade. Por outro lado, é justamente o caráter operatório dos projetos que os distingue com mais nitidez das utopias: enquanto um projeto sempre se apresenta munido de elementos operatórios que instrumentam as ações transformadoras e apontam no sentido de sua realização, uma utopia não considera sequer a discussão sobre os caminhos ou a possibilidade de sua realização. Enquanto um projeto nasce, em geral, de um esboço, de um desenho que funciona como um verdadeiro anteprojeto, uma utopia é como uma imagem que não aspira à materialização, é um autêntico não-projeto, ou mesmo, um antiprojeto.

O fato de não se caracterizarem como antecipações de ações a serem realizadas pelos sujeitos, e o fechamento de perspectivas, da imobilização decorrente do suposto atingimento do ótimo podem ser sintetizados em uma única frase, radicalmente distintiva entre os utopias e projetos: uma utopia não tem futuro, uma vez que nada ali poderá ser transformado. Simétrica e equivalentemente, uma utopia não tem passado, uma vez que, quem quer que tenha escrito uma utopia, apenas descreveu um estado final imaginado, sem ter apontado o caminho que conduziu ao mesmo. Numa palavra, utopias não têm história.

Não obstante tais características, reiteremos que as utopias desempenham um papel fundamental na germinação dos projetos e uma eventual renúncia às utopias poderia significar, simbolicamente, uma perda de vontade de transformar globalmente a realidade, de construir a história. Os totalitarismos de todas as cores consistem sempre no aniquilamento das utopias, de todos os sonhos de sociedades diferentes da instalada.

## 1.4 Depois dos projetos: planejamento, trajetórias,...

Assim como é importante discernir o que vem antes dos projetos, também o é reconhecer a necessidade de associá-los com procedimentos que visem à implementação das ações em busca das metas antecipadas, bem como de provê-los de instrumentos de avaliação e de trajetórias emergentes, em busca de novas metas. A realização do que se projeta exige certo nível de organização, de planejamento das ações. Não bastam a vontade e o improviso. É preciso estabelecer metas intermediárias, articular objetivos parciais, eventualmente em certo encadeamento, conceber indicadores relativos ao cumprimentos das metas.

Além disso, é vital vislumbrar-se o que sucederá após a resposta às questões inicialmente formuladas. A fecundidade de uma pergunta é a garantia de que a resposta à mesma significará um esclarecimento e muitas outras dúvidas. Novas metas devem decorrer daquelas que foram atingidas, não como uma determinação, mas de modo natural. Afinal, quem não tem qualquer projeto, qualquer objetivo para lançar-se em busca, quem diz que está completamente "realizado" e nada mais almeja, está "morto" como ser humano, ainda que tenha acabado de realizar o mais notável dos projetos.

Por dispensável que pareça, é importante registrar que realizamos permanentemente uma diversidade de projetos, que se articulam tanto simultaneamente quanto de modo sucessivo, configurando uma complexa teia de interesses e ações. Continuamente somos instados a eleger novas metas - uma tensão em busca de uma pretensão - embora a existência de uma multiplicidade de trajetórias emergentes, em qualquer ponto ou momento da existência humana, nem sempre seja claramente reconhecida. Novamente aqui, as idéias de circunstância e de vocação em Ortega y Gasset podem ser esclarecedoras.

Mesmo em se tratando de projetos de vida, característicos do modo de ser do ser humano, não nascemos determinados para percorrer uma única trajetória de projetos, ou vocacionados para um único tipo de atividade. Movemo-nos permanentemente em um terreno pleno de potencialidades, pleno de apelos que vêm de fora e que devem ser articulados com chamamentos interiores, do fundo do nosso ser. As alternativas, em cada bifurcação da vida, não são aleatórias nem determinadas: escolhemos tão livremente quanto nossa circunstância nos permite e quanto a vocação ditada pelo "fundo insubornável" da pessoa única que somos, nas palavras de Marías. E construímos uma trajetória de projetos absolutamente original, que nos identifica como pessoa.

No Epílogo de "O fazedor", o escritor argentino Jorge Luís Borges escreveu:

*Um homem se propõe a tarefa de desenhar o mundo. Ao largo dos anos povoa um espaço com imagens de províncias, de reinos, de montanhas, de baías, de naves, de ilhas, de peixes, de habitações, de instrumentos, de astros, de cavalos e de pessoas. Pouco antes de morrer, descobre que esse paciente labirinto de linhas traça a imagem de seu rosto.*

Ao "desenhar" o mundo, "desenhamo-nos", ou seja, somos o que, contextuadamente, projetamos ser.

## 1.5 Projetos, inteligência, cidadania

Por meio da idéia de projeto, é possível articular diretamente as idéias de inteligência e de cidadania. É o que se buscará, no que se segue.

Durante muito tempo, a palavra "inteligência" esteve associada à capacidade de receber informações, processá-las e produzir uma resposta considerada eficiente. Ou ainda, a articular um "estoque" de conhecimentos a um conjunto de questões lançadas diante de nós, como quando se resolve um problema. Hoje, esses dois níveis de associação ainda permanecem no cenário, sendo comum a referência a semáforos ou a computadores "inteligentes" nos sentidos acima referidos. Ainda nesse sentido, é freqüentemente usada a expressão "inteligência artificial". Mas a inteligência em sentido humano pode ser caracterizada justamente pela capacidade de escolher as situações problemáticas que nos interessam,

17

de escolher as metas em busca das quais iremos nos lançar, em outras palavras, pela capacidade de projetar.

Em "Teoria da Inteligência Criadora", MARINA (1995) desenvolve de modo denso e instigante a associação entre as idéias de inteligência e de projeto, contribuindo para uma aproximação entre a psicologia e a filosofia no tratamento de tais temas. Ainda que sem referências diretas, existe uma sintonia perfeita entre MARINA e muitas das concepções de MARÍAS, quando situa a pessoa no cerne de sua filosofia.

Nesse contexto, um aspecto interessante a ser examinado é o da distinção entre pessoa e indivíduo. Embora as duas palavras sejam usadas, em alguns casos, de modo intercambiável, é importante notar certas diferenças de sentido. Enquanto, por exemplo, se pode dizer, com uma conotação negativa, que fulano é "individualista demais", é difícil vislumbrar uma situação correlata relativa ao "excesso de pessoalidade". *Individuum* é uma palavra latina usada tardiamente por Cícero, em uma tradução da palavra grega *átomo*, ou indivisível. Outra é a origem da palavra pessoa, originada de *persona,* palavra latina que significava a máscara usada nos teatros, mas que paulatinamente passou a indicar o sujeito que a utilizava, o ator, o *personagem.* Os átomos não têm consciência do papel que desempenham em determinada estrutura; as pessoas têm, ou deveriam tê-lo.

Constituímo-nos como pessoas na medida em que realizamos nossos projetos. O grande destaque atribuído a esse fato não pode elidir minimamente a necessidade de distinguir projetos individuais - ou mais precisamente, pessoais - e projetos coletivos. E se é verdade que, como seres humanos, não sobrevivemos sem alimentar projetos pessoais, também é uma característica humana o fato de não vivermos apenas de projetos pessoais, de necessitarmos igualmente de participar, de algum modo, de projetos maiores que os que dizem respeito apenas ao nosso umbigo.

Na verdade, não existem apenas dois tipos de projetos - os pessoais e os coletivos; em nosso dia-a-dia, convivemos com uma multiplicidade de níveis de projetos, pessoais, familiares, em nosso ambiente de trabalho, no clube que freqüentamos, nas associações de bairro ou de exercício profissional, ou ainda, no partido político em que eventualmente militamos.

A universalização da necessidade de articulação entre os diversos níveis de projetos - resumida na busca de uma sintonia entre projetos pessoais e coletivos - é uma questão moderna, ou pelo menos, posterior à Revolução Francesa. Na Grécia Antiga, por exemplo, apenas a 6 ou 7% da população cabia tal tipo de preocupação. Eram os habitantes da *pólis*, ou da cidade-estado grega, que tinham direitos e responsabilidades para com a mesma. Eram os *políticos*, palavra correspondente a *cidadãos*, que decorre de *civis*, correspondentes aos habitantes das cidades romanas (*civitas, civitatis*). Na Grécia, quem não era *político*, era chamado de *idiotes*, de onde se originam palavras como *idiotas, idiotismo ou idiossincrasia*. Aos *idiotas* cabia apenas preocupar-se consigo mesmo, com a manutenção de sua vida; somente muito tardiamente a palavra passou a designar alguém desligado da realidade, ou mesmo uma patologia. O futuro da *pólis* era assunto para os *políticos*. Mulheres não eram políticos. Os escravos, que eram quase 60% da população, também não.

De uma forma ou de outra, em diferentes períodos ou culturas, a responsabilidade pelos projetos coletivos era limitada pelas estruturas de classe. É apenas a partir da Revolução Francesa que se desenvolve a idéia de que o direito à cidadania deve ser estendido a todos os habitantes das cidades. Hoje, um documento como a Declaração Universal dos Direitos Humanos, assinado por quase todos os países do mundo em 1948, estabelece o direito à cidadania a todos os seres humanos, independentemente de raça, gênero, credo ou posses.

A garantia da efetiva articulação entre interesses, entre projetos pessoais e coletivos, é, no entanto, uma tarefa permanente, em todos os lugares do mundo. A construção de tal articulação é o sentido maior da idéia de cidadania e o objetivo mais nítido da Educação. Alfabetizar uma pessoa, ensinar-lhe história, ciências ou matemática, tanto quanto votar ou ser votado, é instrumento para a construção da cidadania. Quem vive apenas de projetos ou interesses pessoais, não garante para si mais do que uma vida de idiota. Ainda que no sentido grego, com todo o respeito.

## 1.6 Educação: projetos e valores

Projetos e valores constituem os ingredientes fundamentais da idéia de Educação. Derivada do latim - *educatio,* do verbo *educare* (instruir, fazer crescer, criar), próximo de *educëre* (conduzir, levar até determinado fim) -, a palavra educação sempre teve seu significado associado à ação de conduzir a finalidades socialmente prefiguradas, o que pressupõe a existência e a partilha de projetos coletivos. Por outro lado, o combustível essencial para o desenvolvimento da personalidade de cada ser humano não é senão o espectro de projetos que busca desenvolver ao longo da vida, e que vai constituir, recorrendo aos conceitos de MARÍAS (1988), as "trajetórias vitais" características de cada pessoa.

Modernamente, em diferentes épocas ou culturas, o *leitmotiv* da educação tem sido a permanente busca da dupla construção, da simbiose, do entrelaçamento e da fecundação mútua entre projetos pessoais e projetos coletivos. Tais projetos são estruturados a partir de uma arquitetura de valores socialmente negociados e acordados, na busca do delicado equilíbrio entre a conservação do que se julga valioso e a transformação em direção ao novo. Neste sentido, mesmo em tempos em que a meta mais explícita era a inserção em uma sociedade previamente existente, organizada de uma forma que não estava em questão, a educação sempre permaneceu - e sempre permanecerá - tributária de idéias utópicas. Sempre será motivada pelo que é possível imaginar e não apenas pelo que é possível imaginar como possível; nunca poderá resumir-se apenas a utopias, mas jamais poderá prescindir delas. Freqüentemente inspirados por elas, os projetos educacionais buscam as condições de operacionalidade necessárias para as fecundações e/ou transformações prefiguradas.

Para compreender o fato de que projetos e valores desempenham papéis de protagonistas nos processos educacionais em sentido amplo, convém observar o que costuma ser caracterizado como "crise" na educação, nos mais diferentes países, nas mais variadas épocas. Muitas vezes, tais crises têm sido examinadas numa perspectiva técnica, que as associam à carência de recursos ou de competência técnica em conteúdos específicos. Ainda que, em diferentes lugares, as razões pareçam muito distintas, em todos os casos, crise na educação significa sempre ausência ou transformação radical nos valores e/ou ausência ou transformação radical nos projetos, tanto pessoais quanto coletivos.

Em tempos recentes, um exemplo marcante de transformações nos projetos e valores ocorreu em Portugal, após a Revolução dos Cravos, em 1974. Outro exemplo notável teve lugar na Espanha, após a ascensão do governo socialista, em 1985. Não se pretende aqui estabelecer qualquer comparação entre os períodos que antecederam e sucederam as citadas transformações, o que poderia caracterizar uma interferência indevida em assuntos internos aos países citados; registra-se apenas a ocorrência indubitável de uma transformação nos valores socialmente acordados, articulados para a realização dos novos projetos em curso, tanto em nível pessoal quanto em nível coletivo.

Em nível pessoal, já se pretendeu que a satisfação das necessidades básicas do ponto de vista biológico ou econômico deveria ser a meta precípua dos governos. Hoje, parece claro que tais satisfações, desvinculadas da possibilidade de uma abertura para sonhos, fantasias, projetos individuais, conduz a uma espécie de morte da personalidade tanto quanto a carência de alimentos conduz à morte física. Um registro indiciário de tal fato pode ser encontrado nos versos de uma canção popular que registra: *"A gente não quer só comida, a gente quer comida, diversão e arte"*.

Em nível social, a ausência de projetos coletivos costuma constituir-se em um problema crítico, responsável pelo surgimento de conflitos, mesmo em sociedades industrializadas, como bem caracterizou RICOUER em "Interpretação e Ideologias" (1977). Nos países em desenvolvimento, muitas vezes, simulacros de projetos ganham corpo a partir da aspiração, quase sempre ingênua, de copiar os países desenvolvidos; nesses, a ausência de matrizes para serem copiadas já produziu, em passado relativamente recente, certas simulações de rompimento com o *statu quo,* certas marginalidades fictícias facilmente absorvíveis pelo sistema, como a dos movimentos *hippies* dos anos 60. No entanto, a saída para todas as crises, tantas vezes perquirida em universos de significações que se restringem ao político/econômico, passa, inelutavelmente, pelos espaços do conhecimento, por uma redefinição de projetos e valores, pela educação em sentido amplo.

No caso específico da educação brasileira, a ausência de um projeto coletivo tem sido confundida amiúde com a inexistência de algo como um Plano Nacional de Educação, bem como de uma legislação adequada. A atual Constituição (1988) prevê, inclusive, a existência formal de tal Plano, que orientaria diretamente as ações educacionais, e um projeto de Lei de Diretrizes e Bases da Educação Nacional (LDB, 1996) tramitou durante quase uma década no Congresso Nacional, subjazendo certa expectativa de que a solução de muitos dos problemas educacionais decorreria de sua aprovação, o que, naturalmente, não ocorreu.

À LDB, sucederam-se Diretrizes Curriculares a mancheias: dez volumes de mais de mais de cem páginas cada um para orientar as ações educacionais nas quatro primeiras séries do Ensino Fundamental; outros dez do mesmo porte para as quatro séries seguintes; mais quatro volumes para o Ensino Médio. O argumento que recorre ao suposto despreparo dos professores, que necessitariam ser orientados minuciosamente sobre as ações a serem implementadas é menos verdadeiro do que intolerante. Certamente os professores carecem de uma formação mais adequada. Mas não se pode zerar o cronômetro e começar tudo de novo, nem pretender "capacitar" em curto período as centenas de milhares de professores, muito menos por meio do recurso a documentos. É muita orientação metodológica para pouca densidade filosófica. Motivados por um projeto coletivo que lhes faça sentido e munidos de condições de trabalho adequadas, o que, naturalmente, inclui uma remuneração digna, os professores cresceriam em serviço, em muito pouco tempo. Muitos dos que, desiludidos, abandonaram as salas de aula, a elas voltariam, por vocação e opção.

Não se pode duvidar da necessidade da existência de planos de ação, não só para a área da Educação, como também para a da Saúde, para a da Habitação etc., bem como de uma legislação atualizada, nem de documentos norteadores, que constituem a dimensão objetiva dos limites das ações políticas. Entretanto, a dependência tão direta entre projetos e planos de ação, entre planos e leis que viabilizem sua implementação entre leis e documentos controladores das ações práticas não parece natural nem conveniente.

Em 1997, ocorreu uma profunda Reforma Educacional no Canadá. Mesmo com toda a problemática do bilingüismo e da delicada convivência entre cidadãos culturas que podem não ter superado definitivamente o fantasma do separatismo, o texto correspondente à Reforma consta de pouco mais de quarenta páginas. São princípios gerais, verdadeiramente norteadores,

24

a serem realizados localmente, nos diversos segmentos dos sistemas de ensino. Os quadros disciplinares para todos os ciclos são apresentados. Novas disciplinas são criadas, como "História e Cidadania", "Ciência e Tecnologia", ou "Entendendo o mundo contemporâneo". "Educação Moral ou Religiosa" encontra-se presente em todas as séries. Tudo em pouco mais de quarenta páginas.

No caso da Educação Brasileira, ao que tudo indica, carece-se muito mais de uma Carta de Princípios Gerais, uma espécie de Tábua de Valores Fundamentais, amplamente acordados com as entidades mais representativas da sociedade, sublinhando os valores maiores que deveriam orientar os projetos e as ações educacionais, do que de planejamentos excessivamente minuciosos ou de alterações radicais na legislação em vigor. Alguns exemplos de tais valores, quase sempre consensuais no nível do discurso mas raramente presentes na implementação das ações, são a autonomia das unidades escolares, que não pode limitar-se a aspectos financeiros, e a valorização da função docente, que não se esgota na questão salarial mas que não pode esquecê-la. Sem o enraizamento em valores como esses, os projetos mais bem intencionados terminam por perder toda a potencialidade transformadora, tendendo a confundir-se com planos de ação de cunho meramente burocrático, ou a tangenciar o terreno jurídico, onde correm o risco de confundir-se com leis, cristalizando-se ou tornando demasiadamente rígido o que deve ser, por sua natureza, flexível, adaptável, variável.

A educação portuguesa, em tempos recentes, constitui um exemplo elucidativo para a correção dos desvios que acima se pretendeu apontar. A Lei de Bases do Sistema Educativo (LBSE, 1986), formulada no período posterior à Revolução dos Cravos (1974), registra, em seu Art. 2º, que a educação deve organizar-se tendo em vista *"o desenvolvimento pleno e harmonioso da personalidade dos indivíduos"* e a incentivar *"a formação de cidadãos livres, responsáveis, autónomos e solidários."* Em seu Art. 3º, explicita os princípios de organização do sistema educacional, que deve ter em vista *"contribuir para a realização do educando, através do pleno desenvolvimento da personalidade, da formação do carácter e da cidadania"*, assim como *"assegurar o respeito à diferença, mercê do respeito pelas personalidades e pelos projetos individuais de existência"* (grifo nosso).

A referência direta ao respeito aos projetos individuais (pessoais) constitui um indício importante da preocupação em valorizar o ser humano, tomando-o como ponto de partida para as ações educativas, ao mesmo tempo em que se busca uma valorização da solidariedade, da tolerância, elementos constituintes da noção de plena cidadania, evidenciando, portanto, um equilíbrio na dupla preocupação de formação pessoal e social.

## 1.7 Educação: projetos e vocação profissional

A idéia de integração entre a formação pessoal e a social, entre o desenvolvimento das personalidades individuais e o pleno exercício da cidadania tem sido objeto de estudos extremamente fecundos, com origem em diferentes áreas do conhecimento. Alguns exemplos são os trabalhos de Norbert ELIAS, em "A Sociedade dos Indivíduos" (1994), no terreno da sociologia; os de Marvin MINSKY, em "A Sociedade da Mente" (1985), no terreno da psicologia cognitiva; ou os de Pierre LÉVY, em "L'Intelligence Collective" (1994), no terreno da epistemologia. Particularmente neste último caso, o recurso à expressão "inteligência coletiva" parece especialmente significativo, culminando uma aproximação tríplice entre as idéias de inteligência e de projeto, de inteligência e de cidadania, e de projetos (pessoais e coletivos) e de cidadania. Entretanto, a inserção da problemática individual/coletivo na legislação educacional portuguesa, de forma consciente, direta e equilibrada como foi feita, visando não apenas a objetivos estéticos ou meramente retóricos, é um fato alvissareiro para o futuro da educação naquele país. Tais preocupações parecem conduzir naturalmente o debate sobre as questões educacionais para a elaboração da idéia de projeto, e em particular, para a construção da noção de *projetos vocacionais.*

Em FONSECA (1994), pode ser encontrado interessante material a esse respeito, destacando-se a análise de como os projetos de vida são construídos na interface individual/social, sempre supondo uma intervenção conjunta de elementos afetivos, cognitivos e sociais. Cada projeto de vida tende a caracterizar-se como a realização de uma vocação, de um apelo, de um chamamento vindo, a um tempo, de dentro e de fora, representando o mais harmonioso encontro possível entre as aspirações individuais e os interesses coletivos. A idéia de vocação aqui evocada pouco tem em comum com as perspectivas religiosas ou com os determinismos inatistas, aproximando-se muito mais da perspectiva profissional, ou da escolha "madura" de uma atividade profissional. As palavras de FONSECA podem servir para explicitar mais as considerações supra-referidas, ao mesmo tempo em que aproximam as idéias de vocação e de projeto: *"A concepção de maturidade vocacional adquire o seu pleno significado inserida num processo que valoriza a noção de projeto como elemento motor e significante das condutas humanas. O projeto profissional, em particular, surge como um suporte concreto que favorece a elaboração de projetos em geral e que não se limitam ao mundo do trabalho."* (1994, p.61). É essencial, portanto, que a escolha profissional possa ser inserida em um cenário mais amplo, onde o elemento organizador parece ser justamente o projeto de vida de cada ser humano.

Tendo por base a presente perspectiva, onde a idéia de projeto representa o fio condutor para a organização das ações, a educação tende a transformar-se, mais do que nunca, no elemento vital da dinâmica social, tanto na alimentação dos tecidos que compõem e integram a complexa teia de inter-relações indivíduos/sociedade, quanto como fonte de energias necessárias para as transformações a serem implementadas.

Novamente aqui, as palavras de FONSECA são esclarecedoras: *"a orientação vocacional deve permitir aos alunos a elaboração de um projeto pessoal de existência que lhes permita exprimir necessidades, aptidões, interesses e valores individuais e ultrapassar constrangimentos diversos, susceptíveis de limitar o leque de opções escolares e profissionais à sua disposição, como o sexo, a origem socioeconómica ou dificuldades de aprendizagem"* (1994, p. 67). A própria organização das atividades didáticas deve ser encarada a partir da perspectiva do trabalho com projetos. De fato, respostas a perguntas tão freqüentemente formuladas pelos alunos, em diferentes níveis, como "Para que estudar Matemática? E Português? E História? E Química?" não podem mais ter como referência o aumento do conhecimento ou da cultura, ou ainda, mais pragmaticamente, a aprovação nos exames. A justificativa dos conteúdos disciplinares a serem estudados deve fundar-se em elementos mais significativos para os estudantes, e nada é mais adequado para isso do que a referência aos projetos de vida de cada um deles, integrados simbioticamente em sua realização aos projetos pedagógicos das unidades escolares.

Uma reiteração singular do que acima se afirmou pode ser encontrada em ABREU (apud FONSECA, 1994, p.73): *"É na percepção clara dos estudos como meios ou actividades intermediárias úteis à concretização de projetos de vida que repousa a atribuição de sentido e de valor instrumental à escola e aos estudos, que aparecem assim com interesse mobilizador"*.

Um último ponto sobre a emergência e a crescente relevância da idéia de projeto, tanto como representação das projeções, das aspirações das pessoas quanto como instrumento adequado à organização das práticas sociais, será aqui destacado: a despeito do aparecimento de tantos trabalhos nos últimos anos que situam a noção de projeto no centro das atenções, em muitos pensadores o interesse pelo tema é bem mais antigo. BACHELARD, por exemplo, ao caracterizar o universo científico, em um notável trabalho publicado pela primeira vez em 1934, escreveu, incisivo, quando ainda se dispendia muita energia em discussões sobre os papéis relativos do sujeito e do objeto na elaboração do conhecimento: *"Acima do sujeito, além do objeto imediato, a ciência moderna se funda sobre o projeto. No pensamento científico, a meditação do objeto pelo sujeito toma sempre a forma do projeto"* (BACHELARD, 1968, p.18). No terreno educacional, KILPATRICK (1918) já examinara, em um artigo seminal, o trabalho com projetos em sua dimensão metodológica, inserindo tal tema em um fecundo cenário filosófico. E depois de BACHELARD, em um importante trabalho já citado anteriormente neste texto ("As Ciências do Artificial", 1969), Herbert SIMON procura caracterizar o que denomina "a ciência do projeto", destacando que: *Os engenheiros não são os únicos projetistas profissionais. Projeta quem quer que conceba cursos de acção com o objetivo de transformar situações existentes em situações preferidas; a actividade intelectual que produz artefactos materiais não é fundamentalmente diferente da que prescreve remédios a um doente ou da que concebe um plano de vendas para uma companhia, ou uma nova política de bem estar social para um Estado. Assim concebido, o projeto é o núcleo de todo o ensino profissional; é a marca principal que distingue as profissões das ciências. Tanto as escolas de engenharia como as de arquitetura, comércio, educação, direito e medicina se ocupam centralmente do processo do projeto"* (SIMON, 1981, p.193).

Assim, ainda que apresentem discordâncias intimas, BACHELARD e SIMON concordam em que, na ciência ou nas profissões, no universo do conhecimento ou no do trabalho, a idéia de projeto há muito sobressai no círculo restrito das noções verdadeiramente iluminadoras, de caráter enciclopédico, transcendendo as fronteiras das disciplinas constituídas e das temáticas supostamente especializadas. Atualmente, mais acentuadamente ainda do que no momento registrado por BACHELARD, o trabalho acadêmico e as atividades de pesquisa em todas as áreas do conhecimento organizam-se precipuamente sob a forma de projetos. No caso da educação básica, o trabalho com projetos ainda não tem o mesmo caráter hegemônico, mas é de se esperar que também venha a tê-lo, sobretudo em decorrência da intenção - esta sim, de natureza hegemônica - de aproximar e associar as atividades de ensino e de pesquisa, possibilitando ao professor desenvolver um trabalho de pesquisa, qualquer que seja o nível de ensino em que atue. E a idéia de projeto é absolutamente fundamental, neste sentido.

## 1.8 Conclusão: Cultura e Educação

Antes de chegar ao final deste percurso, uma palavra é necessária para prevenir desvios indesejáveis: trata-se da referência ao tempo do projeto. Na medida em que constitui uma antecipação de ações em busca de metas prefiguradas, na construção de um futuro aberto, que depende da ação do sujeito; na medida em que os sujeitos não se constituem como pessoas senão quando, alimentados por sonhos, ilusões, utopias, elaboram e realizam projetos, articulados em trajetórias vitais, poder-se-ia concluir que o presente pouco importa, que vivemos teleguiados pelo que ainda não existe, ou que o tempo do projeto é o futuro. Argumentaremos, a seguir, para explicitar que não é este o caso.

De fato, a comum tripartição do tempo em passado, presente e futuro encontra-se tão firmemente estabelecida que raramente refletimos sobre a heterogeneidade dos elementos que a constituem. O passado é o que já se foi, o futuro ainda não chegou, mas sobre o presente, pouco sabemos expressar. Tudo parece enganadoramente simples. Vivemos no presente, sem dúvida, e ele é como um ponto, que divide a reta orientada do tempo em duas semi-retas: de um lado, o passado, o que já vivemos e não voltará mais; do outro, o futuro, incerto, desconhecido, que depende de nossas ações, mas que permanece aberto, indeterminado. A simplicidade enganadora desmancha-se como um castelo de cartas, quando nos damos conta de que este ponto/presente encontra-se permanentemente em movimento: mal nos fixamos nele o que era presente já se tornou passado, e o ex-futuro já se fez presente.

Como coadunar, então, a instabilidade/volatilidade do presente, em que efetivamente vivemos e no qual nos constituímos como pessoas, com as afirmações reiteradas desde o início, de que nos mantemos vivos apenas na medida em que projetamos o futuro, em que construímos uma trajetória de projetos absolutamente característica? Não parece haver acordo possível, se o presente é como um ponto fugaz. E, de fato, ele não o é.

Para examinar a imagem de tripartição da reta do tempo de modo mais fecundo, consideremos três pares de palavras diretamente associados à reflexão educacional: projetos e valores, transformação e conservação, Cultura e Educação.

Já argumentamos anteriormente no sentido de associar as idéias de projeto e de valor de modo inextrincável. São, de fato, como duas faces de uma mesma moeda. Ter um projeto significa ter uma meta, que escolhemos livremente, solidariamente com as circunstâncias que nos constituem. Mas não é qualquer meta que vale. Há o que vale e o que não vale a pena. A eleição das metas ocorre sempre em um cenário de valores. No terreno educacional, uma necessária semeadura de valores é imprescindível para a produção de projetos legítimos. Sem o suporte de uma arquitetura de valores, a capacidade de projetar pode conduzir a desvios ou a becos sem saída. Parafraseando Goya, para quem *"os sonhos da razão produzem monstros"*, é possível afirmar-se que projetos se valores podem resultar monstruosos.

O par projetos/valores associa-se naturalmente ao par transformação/conservação. Buscamos a transformação, a criação, o novo, mas o novo não é um valor em si. Ainda que a idéia de uma "educação transformadora" tenha um grande apelo, no terreno educacional, não existe transformação sem conservação. Os valores que sustentam nossos projetos representam a conservação inerente a toda ação. Poder-se-ia, inclusive, construir uma proporção matemática exata: projetos estão para transformações assim como valores estão para as conservações.

Na início da década de 70, o professor americano Neil POSTMAN publicou um instigante livro com o título *"Teaching as a subversive activity"*. Anos depois, publicou um outro livro intitulado *"Teaching as a conserving activity"*, onde busca reequilibrar os elementos do par transformação/conservação. Mais recentemente, em 1996, publicou um novo livro sobre o tema com o título *"The End of Education"* (POSTMAN, 1996), onde defende o ponto de vista de que se a Educação não tiver um fim (objetivo, finalidade, projeto?), terá um fim (the end). Ele não utiliza a palavra *project*, cujo significado em inglês mantém certa proximidade com a dimensão técnica dos projetos, conforme aqui já se destacou. Mas trata, ao longo de todo o livro, de idéias diretamente associadas a projetos e a valores, como os analisados neste trabalho.

Ainda com relação à afirmação anteriormente registrada, quanto ao fato de que o novo não constitui um valor apenas enquanto novo, convém mencionar que as tecnologias contribuem para uma ampla disseminação, quase sempre acrítica e ingênua, de uma suposta

33

indiscutível superioridade do novo em relação ao velho. Um novo instrumento tecnológico sempre acaba por relegar o antigo à condição de mero entulho. A transferência de tais juízos de valor para o terreno educacional seguramente é indesejável. No universo da Cultura, o novo e o velho convivem de modo significativamente distinto.

Passemos, então ao terceiro par, dentre os inicialmente citados, qual seja, a Educação e a Cultura. Para muitos, a associação da Educação a algo que se passa no espaço entre o presente e o futuro, enquanto que a Cultura estaria diretamente relacionada ao espaço entre o passado e o presente, poderia parecer natural. No entanto, trata-se de uma simplificação excessiva, que favorece o florescimento de meras caricaturas. A razão fundamental para tornar tal dicotomia inaceitável é a seguinte: assim como não existem projetos que não sejam sustentados por valores, nem transformação que não conviva com a conservação do que se julga valioso, também não existe qualquer possibilidade de se conceber uma disjunção entre os elementos do par Educação/Cultura. *the making of meaning*

Para uma compreensão mais nítida de tal fato, busquemos amparo na etimologia. A palavra *cultura* deriva do verbo latino *colo,* cujo particípio passado é *cultus*, cujo supino é *cultum* e cujo particípio futuro é *culturus* (BOSI, 1992, p.11-16). Relaciona-se diretamente com palavras como colono, íncola, agrícola, agricultura, culto. Na palavra cultura residem, então, adormecidos mas vivos, os sentidos de cultivar, cultuar, conservar na memória, bem como uma singular mistura de passado, presente e futuro.

34

De fato, a referida mistura parece materializar-se tanto o supino *cultum,* forma verbal latina que não sobreviveu na língua portuguesa, mas que se aproxima de algo como, digamos, "tenho amado", em que o presente e o passado se entrelaçam, como em *culturus,* onde o enlace se dá entre o passado e o futuro.

Quanto ao cultivar no sentido de cultuar, de manter na memória, os extremos em que oscilamos, como seres humanos, são bem nítidos: por um lado, não podemos manter tudo na memória, impondo-se uma natural seleção/eleição do que vale a pena guardar; por outro lado, sem memória, não existe vida em sentido humano, ou seja, o presente alimenta-se do futuro mas não se sustenta sem o passado.

Em BORGES (1989), há uma história que pode ilustrar de modo incisivo o que acima se afirmou: trata-se do conto "Funes, o memorioso". Nele, o personagem principal, após um acidente, passa a memorizar absolutamente tudo o que focaliza, tornando-se incapaz de discernir, abstrair, esquecer. Naturalmente, logo seu mundo se torna "abarrotado", e ele, que registra todos os pormenores sobre tudo, torna-se incapaz de pensar e de agir.

Por outro lado, existem registros, na literatura médica, de situações pessoais absolutamente críticas, onde certo paciente, tendo perdido a capacidade de memorizar qualquer coisa, em razão de um incidente operatório no cérebro, após esgotar-se em tentativas de recuperação, entra em depressão e desiste de viver. Como anteriormente já se afirmou, o presente se alimenta das antecipações que vêm do futuro, tanto quanto o futuro não existirá sem os projetos gestados no presente. Simetricamente, e de certa forma, acacianamente,

35

se o presente é o futuro do passado, a eliminação do passado faz desabar o presente.

O fato é que precisamos escolher o que consideramos valioso, rememorá-lo, memorizá-lo, comemorá-lo. Este é o sentido de todas as comemorações: consolidar valores, mantendo vivo na memória aquilo que se valoriza.

De tudo isso resulta que o presente, longe de ser um ponto fugaz em permanente movimento, é como uma espécie de "bolha", de intervalo na reta do tempo, que se estende para ambos os lados, incluindo simultaneamente tanto o passado quanto o futuro. O tamanho relativo de tal "bolha" depende do universo de significações que partilhamos, de ações que realizamos. O presente de um recém-nascido pouco se estende além do intervalo entre duas mamadas. De modo geral, tendemos a superestimar a parte do intervalo que se situa na parte aparentemente mais longa: para os muito jovens, quase só existe o futuro; para os mais velhos, costuma ocorrer uma superestimação do passado. A própria idéia de "saudade", especialmente expressiva em língua portuguesa, poderia ser caracterizada, talvez, como uma retroprojeção, uma ilusão do passado, no sentido mais positivo da palavra ilusão.

Para concluir, convém reiterar o que aqui e ali já se registrou: tanto quanto o ar e os alimentos são imprescindíveis para a manutenção da vida em sentido biológico, os projetos o são para a existência de uma vida plena, em sentido humano. Continuamente, os projetos nos alimentam, nos impulsionam para a frente, nos mantêm vivos. Sonhos, ilusões, utopias constituem inspirações para projetos, contribuindo para uma articulação fecunda entre aspirações individuais e coletivas. Os

*Capitalismo* (handwritten note at top)

totalitarismos de todas as cores e matizes simplificam exageradamente o ser humano, buscando controlar sonhos e ilusões, eliminando as utopias e limitando os projetos individuais a classificações demasiadamente estreitas. Por outro lado, no universo econômico, um excesso de planificação pode contribuir para uma atrofia dos projetos individuais, para um aprisionamento das ilusões, um estreitamento no espectro de valores, que se não se reduzem ao valor econômico, não se afastam muito do mesmo.

Tanto no terreno educacional quanto no epistemológico, no econômico ou no político em sentido amplo, não parece haver um par de palavras a merecer mais a atenção de todos os que se consideram sinceramente comprometidos com a construção da cidadania no sentido que a democracia moderna atribui ao termo, do que o par projetos e valores. RICOEUR (1995) traduz tal fato em palavras simples e densas, com as quais concluímos este trabalho:

*"Não gostaria que no espírito de quem quer que seja se dissociassem as três tarefas que atribuímos ao educador político e que correspondem aos três níveis de intervenção do educador político: a luta pela democracia econômica; a oferta de um projeto para o conjunto dos homens e para a pessoa singular; a reinterpretação do passado tradicional, diante da ascensão da sociedade de consumo."* (p. 160)

# Educação:
# Seis valores para todos os projetos

## Introdução

Nada há de mais caracteristicamente humano do que a capacidade de ter projetos. Permanentemente, buscamos a antecipação de um futuro que mantemos em aberto, escolhemos as metas a serem perseguidas e lançamo-nos para frente, procurando alcançá-las. Agimos sobre a realidade por meio de nossas escolhas, buscando transformá-la no sentido de nossas aspirações ou conservá-la naquilo que nos parece caro. Nossos projetos nos sustentam, sendo sustentados, por sua vez, por uma arquitetura de valores socialmente acordados. Projetos e valores são os protagonistas do processo educacional. Constituem um par fundamental, inerente ao significado mais profundo da Educação, tal como o são os pares transformação/conservação e Cultura/Educação.

No que se segue, o objetivo perseguido é procurar explicitar um conjunto de princípios ou de valores que, em nossa perspectiva, deveriam sustentar os projetos educacionais em cada novo século, que começa a cada dia. Sem eles, todo conhecimento se dilui em informações, toda sabedoria se perde no conhecimento, todas as ações educacionais reduzem-se a meras tecnicidades. São eles a *cidadania, o profissionalismo, a tolerância, a integridade, o equilíbrio e a pessoalidade*.

Para eliminar expectativas indevidas, convém mencionar que não se tratará aqui de elaborar, nem mesmo esboçar propostas de ação. Parafraseando Italo Calvino[1] em sua inspirada e inspiradora obra, buscamos apenas por em destaque os valores supra-referidos, tal como ele nos alertou, com idêntica intenção, para seis qualidades fundamentais associadas ao universo da escrita[2].

Tudo o que aqui se dirá não terá outra intenção senão a de esclarecer o significado desses seis valores, no universo educacional.

## 2.1 Educação e cidadania

Nos tempos atuais, nenhuma caracterização das funções da Educação parece mais adequada do que a associação da mesma à formação do cidadão, à construção da cidadania. Nos mais variados países e em diferentes contextos, Educação para a Cidadania tornou-se uma bandeira muito fácil de ser empunhada, um princípio cuja legitimidade não parece inspirar qualquer dúvida. A não ser a que se refere ao próprio significado da expressão "educar para a cidadania".

---

[1]CALVINO, I. - *Seis propostas para o próximo milênio*. São Paulo: Companhia das Letras. 1990.

[2] São elas: *rapidez, exatidão, leveza, visibilidade, multiplicidade, consistência*.

De modo geral, a idéia de cidadania ainda permanece diretamente associada à de ter direitos, uma característica que não parece suficiente para exprimir tal concepção, uma vez que, em termos legais, os direitos não são mais privilégios de determinadas classes ou grupos sociais, como, por exemplo, na Grécia antiga. Um documento fundamental no balizamento de tal generalização é a Declaração Universal dos Direitos Humanos (DUDH), adotada e proclamada pela Assembléia Geral das Nações Unidas em 10 de dezembro de 1948.

É certo que violações nos Direitos Humanos no sentido explicitado pela DUDH continuam a ocorrer em diversos países, nos mais diferentes setores. Entretanto, restringir a idéia de cidadania à de ter direitos pode significar uma limitação da formação do cidadão à vigilância sobre o cumprimento das deliberações da DUDH, ou de outros documentos similares, internacionais ou nacionais. Isso não significaria uma tarefa pequena do ponto de vista prático mas restringiria demasiadamente o significado político/filosófico de tal noção.

Mesmo em países onde os direitos humanos não costumam ser violados, a necessidade da formação do cidadão permanece viva, relacionando-se com a semeadura de valores e a articulação entre os projetos individuais e os projetos coletivos. Entre a noção de cidadania e a idéia de projeto existe, pois, uma relação interessante, que alimenta a ambas, simbioticamente.

A capacidade de ter projetos pode ser identificada como a característica mais verdadeiramente humana. A inteligência humana consistiria, precisamente, nesta capacidade de antecipação, de invenção de metas, de criação de possibilidades.

Naturalmente, não basta alimentar-se de projetos individuais: carecemos de projetos coletivos, que estimulem as ações individuais, articulando-as na construção do significado de algo maior. Tanto quanto da satisfação das necessidades básicas em sentido biológico ou econômico, necessitamos participar de projetos mais abrangentes, que transcendam nossos limites pessoais e impregnem nossas ações, nossos sonhos, de um significado político/social mais amplo.

A ausência de projetos coletivos costuma ser responsabilizada pelo surgimento de neo-conflitos, mesmo em sociedades industrializadas. Nos países em desenvolvimento, muitas vezes, simulacros de projetos ganham corpo, a partir da aspiração, quase sempre ingênua, de copiar os países desenvolvidos; nesses, a ausência de matrizes a serem copiadas já produziu, em passado recente - e talvez não cesse de produzir, continuamente - certas simulações de rompimento com o *statu quo,* certas marginalidades fictícias, facilmente absorvíveis pelo sistema, como a dos movimentos *hippies* dos anos 60, a de rebeldes do tipo *Unabomber,* ou a dos *hackers,* na sociedade informatizada.

A educação portuguesa, em tempos recentes, constitui um exemplo elucidativo dessa relação estreita entre as idéias de cidadania e de projeto. A Lei de Bases do Sistema Educativo (LBSE), formulada no período posterior à Revolução dos Cravos (1974), registra, em seu Art. 2º, que a educação deve organizar-se tendo em vista *o desenvolvimento pleno e harmonioso da personalidade dos indivíduos* e a incentivar *a formação de cidadãos livres, responsáveis, autónomos e solidários.* Em seu Art. 3º, explicita os princípios de organização do sistema educacional, que deve ter em vista *contribuir para a realização*

42

*do educando, através do pleno desenvolvimento da persona-*
*lidade, da <u>formação do carácter e da cidadania</u>, assim*
*como assegurar o respeito à diferença, mercê do respeito*
*pelas personalidades e pelos <u>projetos individuais de existên-*
*cia</u> (Grifos nossos).* A referência direta ao respeito aos
*projetos individuais* constitui um indício importante da
preocupação em valorizar o ser humano, tomando-o
como ponto de partida para as ações educativas, ao
mesmo tempo em que se busca uma valorização da solidariedade, da tolerância, elementos constituintes da
noção de plena cidadania, evidenciando, portanto, um
equilíbrio na dupla preocupação de formação pessoal e
social.

Insistimos em que nada parece mais característico
da idéia de *cidadania* do que *a construção de instrumentos legítimos de articulação entre projetos individuais e projetos coletivos.* Tal articulação possibilitará aos indivíduos, em suas ações ordinárias, em casa, no trabalho, ou
onde quer que se encontrem, a participação ativa no
tecido social, assumindo responsabilidades relativamente aos interesses e ao destino de toda a coletividade.
Neste sentido, *Educar para a Cidadania* significa *prover
os indivíduos de instrumentos para a plena realização desta
participação motivada e competente, desta simbiose entre
interesses pessoais e sociais, desta disposição para sentir em
si as dores do mundo.*

O imperativo de conjuminar o conhecimento dos
direitos com a vontade de participação encontra-se diretamente relacionado com a necessidade de ultrapassar o
conforto de uma ética apenas da convicção, onde a coerência pessoal encontra-se garantida mas não conduz a
ações efetivas, aportando-se em uma ética da responsabilidade, onde crescemos junto com o crescimento dos
riscos e dos encargos que assumimos.

43

Múltiplos são os intrumentos para a realização plena desta cidadania ativa: *a "alfabetização" relativamente aos dois sistemas básicos de representação da realidade - a língua materna e a matemática, condição de possibilidade do conhecimento em todas as áreas; a participação do processo político, incluindo-se o direito de votar e ser votado; a participação da vida econômica, incluindo-se o desempenho de uma atividade produtiva e o pagamento de impostos; e, naturalmente, o conhecimento de todos os direitos a que todo ser humano faz jus pelo simples fato de estar vivo.*

Para estar vivo, no entanto, é fundamental ter projetos pessoais, e nesse sentido, a LBSE portuguesa parece exemplar, na medida em que estabelece que *a Educação visa à formação de cidadãos livres, responsáveis, autônomos e solidários e deve buscar a formação do caráter e da cidadania através do respeito pelos projetos individuais de existência.* Pode-se reconhecer facilmente, nos trechos em destaque, a preocupação com a articulação entre os projetos individuais e coletivos, situando-se a idéia de cidadania como antídoto para a confusão entre a valorização dos projetos pessoais e o primado exclusivo do individualismo.

Insistimos, no entanto, no fato de que projetos e valores são idéias umbilicalmente interdependentes; tanto individual quanto coletivamente, o mais inspirado dos projetos, desprovido de uma arquitetura de valores socialmente acordados, pode conduzir a monstruosidades. *Educar para a Cidadania* deve significar também, pois, semear um conjunto de valores universais, que se realizam com o tom e a cor de cada cultura, sem pressupor um relativismo ético radical, francamente inaceitável; deve significar ainda a negociação de uma compreensão adequada dos valores acordados, sem o que as mais legítimas bandeiras podem reduzir-se a meros *slogans* e o remédio pode transformar-se em veneno. Essa tarefa de negociação é bastante complexa; enfrentá-la, no entanto, não é uma opção a ser considerada, é o único caminho que se oferece para as ações educacionais.

## 2.2 Educação e Profissionalismo

Se parece haver um amplo acordo quanto à meta básica da Educação como a construção da cidadania, o mesmo não ocorre, no entanto, no que se refere à repartição de tarefas entre os setores público e privado. Em quase todos os países, o equacionamento de tal questão encontra-se em exame, oscilando-se entre o predomínio da burocracia estatal, de inspiração weberiana, e o das regras do mercado, na trilha de Adam Smith. A configuração desse espaço de tensões condiciona fortemente a atuação do profissional da Educação.

Um exemplo expressivo é o do discurso sobre a Qualidade na Educação, onde a formação do cidadão é freqüentemente confundida com a satisfação do cliente, ou o projeto educacional, com seu amplo espectro de valores, é reduzido ao estatuto de mero projeto empresarial, sobrelevando-se o valor econômico. No mesmo sentido, muitas reflexões têm sido realizadas, analisando-se a pertinência da utilização de recursos públicos no financiamento de escolas privadas, ou do recurso a fundos empresariais para financiar escolas públicas. Os resultados de muitas iniciativas já realizadas em diversos países parecem globalmente inconclusivos, sendo eivados por imagens caricatas de ambos os segmentos: o público, como o falido ou mal administrado; o privado, como o movido exclusivamente pelo lucro.

De qualquer forma, parece claro que o par público-privado não dá conta da maior parte das análises. No âmbito econômico, tem crescido substancialmente a importância de uma terceira via, conhecida como "Terceiro Setor", constituída por organizações que não se submetem estritamente nem às leis do mercado nem às da burocracia estatal, incluindo-se aí tanto Fundações quanto Organizações Não-Governamentais de diversos tipos.

No caso específico da caracterização do profissional da Educação - e bem diretamente do professor, nos diversos níveis de ensino - os limites do par público-privado são claramente atingidos e o renascimento ou a revalorização da vera idéia de profissionalismo pode ser apontada como uma perspectiva consistente de posicionamento no espaço de tensões entre o público e o privado.

Defendemos aqui o ponto de vista segundo o qual um grande valor associado ao profissional da Educação, a ser preservado no universo educacional é justamente o profissionalismo. E para que tal afirmação não pareça circular, é necessário que se explicite o sentido em que se utiliza a palavra "profissionalismo".

Uma profissão é mais do que uma ocupação. Trata-se de uma ocupação que apresenta três características absolutamente fundamentais:

- exige, para seu desempenho, uma *competência específica* em alguma área do conhecimento, incorporada usualmente pela educação formal, quase sempre de nível superior;

- deve ser exercida pela comunidade de

46 *communities of practice*

praticantes com certa *autonomia relativa*, tanto em relação ao mercado quanto à burocracia estatal, baseada em padrões de auto-regulação construídos em sintonia com valores permanentes, socialmente acordados;

- apresenta, sempre, um compromisso público, um *comprometimento pessoal* de cada praticante com os projetos coletivos, situando as ações profissionais no horizonte do bem comum, bem além do mero interesse pessoal ou de grupos organizados - inclusive o dos profissionais praticantes.

O profissionalismo contrapõe-se, simultaneamente, portanto, tanto ao amadorismo quanto ao mercenarismo. No caso do mercenário, os fins ou o significado das ações não estão em discussão; sua prática é regulada exclusivamente pelo pagamento, pela *merces*, que em latim significa salário, soldo. Quanto ao amador, ainda que se possa, tangencialmente, apreciar o envolvimento em geral desinteressado, a dedicação *por amor* a alguma atividade, é justamente esse não-comprometimento que o distingue do profissional. O profissional professa sua competência e age em função dela, regulado por valores permanentes e comprometido com o bem comum. É nessa trilha que o agir profissionalmente adquire uma positividade claramente negada a ações amadorísticas.

Postulamos que o professor - até em sentido etimológico, como aquele que *professa*, que declara sua competência, e com base nela, proclama sua relativa independência e compromete-se com os interesses coletivos - deve ser considerado o paradigma do profissional. Suas ações mais corriqueiras exigem um profundo senso de profissionalismo.

Na formação dos profissionais da Educação para atuar em todos os níveis do ensino, muitas vezes a ênfase situa-se na competência técnica, no domínio dos conteúdos de um conjunto de disciplinas específicas, sem que se dê suficiente relevo às outras dimensões que caracterizam um profissional. Sem comprometimento, sem o sentimento profundo de contribuir para o bem comum, sem o reconhecimento social que viabiliza uma auto-regulação de suas atividades, sem a dignidade e o orgulho de sentir-se um servidor público, independentemente de qual a fonte que propicia o pagamento de seus salários, não se pode falar propriamente de profissional da Educação. Isoladamente, a competência técnica pode inclusive tornar mais agudos alguns dos males de que padece o magistério, como é o caso da intolerância, que será examinado a seguir.

Naturalmente, os professores não são os únicos profissionais que podem ser vislumbrados, irmanando-se na caracterização anteriormente referida aos profissionais da saúde e da justiça, entre outros. Entretanto, uma vez que um nível de comprometimento com a coisa pública, de renúncia a interesses puramente pessoais, de capacidade de doação nem sempre estão presentes, nem todas as ocupações podem ser consideradas profissões. Nesse ponto, as idéias de profissionalismo e de cidadania apresentam diferenças fundamentais.

Mais numerosos, no entanto, são os pontos que aproximam as duas noções. Assim, tal como a idéia de cidadania desempenha um papel decisivo no que se refere à articulação entre o individual e o coletivo, não se coadunando mais com a de mera inserção social, onde os interesses individuais contam menos que o projeto coletivo, particularmente no universo do trabalho, a idéia de profissionalismo pode assumir um papel correlato, mediando as relações entre o público e o privado, tão insatisfatoriamente equacionadas neste final de milênio.

A idéia de profissionalismo pode vir a ser, portanto, uma espécie de antídoto para a crescente perda de sentido da atividade individual, reduzida apenas à busca de mais e mais dinheiro, numa espécie de mercenarismo sem causa. Riscos efetivamente existentes de desvios corporativistas devem ser enfrentados com discernimento e alma grande, não podendo diminuir  minimamente a importância de um profissionalismo consciente.

## 2.3 Educação e a Tolerância

O acordo sobre a necessidade de uma Educação para a cidadania pressupõe, naturalmente, uma cidadania democrática. E tal como a monarquia sempre entronizou a lealdade ao rei como a máxima virtude, a democracia moderna não se institui sem ter como suporte a idéia de tolerância. Trata-se de uma virtude suscetível de muitas incompreensões ou simplificações, com uma dimensão ativa muitas vezes esquecida, em benefício de uma atitude passiva que a aproxima da pura arrogância. Um esclarecimento do significado de tal virtude certamente evidenciará as razões da situação da tolerância como um dos seis valores fundamentais no universo educacional.

A idéia de tolerância funda-se no reconhecimento da existência do outro, que, como eu, ocupa um espaço, tem direitos e deveres, mas é essencialmente diferente de mim. Essas palavras são enganadoramente simples, envolvendo armadilhas relacionadas tanto com o significado de "reconhecimento", quanto com o de "diferente". Comecemos com a idéia de "reconhecimento".

De fato, não basta tomar conhecimento da existência do outro para reconhecê-lo como outro; não se configura senão um passo inicial rumo à tolerância se permaneço como sujeito e o outro apenas como objeto. Quando Cabral "descobriu" o Brasil, tomou conhecimento da existência dos "índios", ainda que sua atitude em relação aos mesmos tenha se aproximado apenas minimamente da idéia de tolerância que aqui se pretende caracterizar.

Além de tomar conhecimento, é necessário buscar compreender o outro, o que exige a disponibilidade para colocar-se em seu lugar e enriquecer a própria perspectiva com a percepção das relações originadas no novo ponto de vista. Tal atitude compreensiva costuma ocorrer por meio da assimilação das características do "compreendido" pelo referencial daquele que "compreende", como se se realizasse certa tradução dos horizontes "estranhos" na linguagem compreensiva, mantendo-se uma expectativa de simetria. A idéia de tolerância, no entanto, necessita ir muito além de tal expectativa. Dois caminhos para isso podem ser vislumbrados.

Em um deles, para abrigar a amplitude da idéia de tolerância como virtude ativa, sustentáculo da moderna concepção de democracia, é a própria idéia de compreensão que deve ser alargada. Trata-se da perspectiva de Gadamer[3] , ao caracterizar a compreensão como uma "fusão de horizontes". Apesar da felicidade da

3 GADAMER, H. - *Verdade e Método*. São Paulo: Vozes, 1997

expressão, seria bastante temerário afirmar-se que tal compreensão da "compreensão" é, hoje, hegemônica, permanecendo forte a expectativa de tradução.

Uma outra via para uma caracterização da idéia de tolerância é a assunção de que a mesma exige que se vá além da compreensão, pressupondo o respeito, o reconhecimento, a assimetria. Em outras palavras, trata-se de respeitar o outro como como diferente de mim, sem procurar dissolvê-lo em minhas análises, situá-lo em meu cenário, traduzi-lo em minha linguagem. Trata-se de valorizar suas perspectivas, de reconhecer a existência de cenários diferentes do meu, de colocar-me em disponibilidade para comunicar-me com ele, ainda que continuemos a falar línguas diferentes, a alimentar projetos diferentes. A tolerância exige, portanto, conhecimento, compreensão e reconhecimento do outro como outro, diferente de mim, e tal caracterização pode conduzir, inclusive, à subversão de máximas aparentemente consensuais, como registrou Bernard Shaw, certa vez, com sua fina ironia: "Não faças aos outros aquilo que gostarias que fizessem a ti: eles podem não gostar."

Passemos agora à idéia de "diferente".

A diversidade humana é a regra, não apenas no terreno biológico, mas também em termos culturais, ou sobretudo no que se refere aos projetos pessoais de existência. Como bem definiu Ortega Y Gasset, em sentido humano, *"Vivir es tener que ser unico"*. Tal infinita diversidade, no entanto, não pressupõe qualquer relação de ordem, ou uma hierarquia entre equivalências. Em outras palavras, diferença não quer dizer desigualdade.

De fato, cada ser humano pode ser caracterizado por um amplo espectro de habilidades, de competências, associadas à idéia de uma inteligência individual, entendida como uma capacidade de ter vontades, de estabelecer metas, de criar, de sonhar, de ter projetos. Distintos indivíduos constituem-se com diferentes espectros, a serviço de diferentes projetos de vida. Em múltiplos sentidos, tais espectros são incomparáveis: é impossível estruturá-los em uma relação de ordem, estabelecendo relações de desigualdade.

Em termos coletivos, a diversidade também é a regra e a norma é saber lidar com as diferenças. Daí a fundamental importância da idéia de tolerância para a sustentação dos regimes democráticos.

É possível classificar ou ordenar diferentes indivíduos quanto à altura, o peso, o interesse por disciplinas específicas, mas nunca globalmente, como seres humanos, como pessoas dotadas de vontades, de projetos.

O reconhecimento do outro, ou o reconhecer-me diferente do outro, não me condiciona, portanto, em qualquer sentido, a uma comparação entre mim e ele, da qual resultaria uma desigualdade, um "maior" e um "menor". É verdade que se dois números reais são diferentes, então, necessariamente, um deles é maior que o outro; mas pessoas não são números. A redução das diferenças individuais ou entre grupos a relações entre indicadores numéricos, quase sempre eivados de intenções de medidas, é responsável direta por diagnósticos catastrofistas do tipo "os alunos estão cada vez mais fracos".

De modo geral, na escola básica, as disciplinas são tratadas, freqüentemente, como "culturas" independentes, com metas próprias e fracas interações, constituindo um cenário muito favorável a manifesta-ções de intolerância, sobretudo nos processos de avalia-ção. Entretanto, se a meta precípua de tal nível de esco-larização é a construção da cidadania, tal como foi aqui delineada, as disciplinas deveriam, permanentemente, estar a serviço dos projetos pessoais dos alunos.

Em qualquer caso, o pleno desenvolvimento das potencialidades das pessoas envolvidas é o que ver-dadeiramente importa. Podemos explicitar, talvez, quan-to de matemática, de geografia ou de história um indi-víduo deveria conhecer para tornar-se um técnico com-petente, mas nenhuma quantidade, ainda que exagera-da, dessas ou de outras disciplinas, pode ser garantia da formação de um ser humano mais valioso, em qualquer sentido, ou mais feliz.

Posso ter maior renda, mais anos de escolariza-ção, melhores notas, mais isto ou menos aquilo, mas não valho mais, em razão disso, como ser humano; não posso ter projetos pelos outros, nem pelos meus alunos, nem mesmo pelos meus filhos, não posso sobrepor meus desejos ou projetos aos de quem quer que seja, sou igual a todos no que tange a minha dignidade como pessoa. Esta a lição maior a ser ensinada na escola, por todos os séculos, por todos os milênios.

## 2.4 Educação e Integridade

A questão a que agora dedicaremos alguns momentos de reflexão é, basicamente, a da integração entre o discurso e a ação.

A escola é um espaço especialmente apropriado

para a vivência dos valores característicos da humanidade do homem, o conhecimento e a disseminação dos direitos inalienáveis do ser humano, explicitados em documentos como a Declaração Universal dos Direitos Humanos (1948), o reconhecimento do outro, a aceitação da diversidades de perspectivas e de projetos, tanto individuais como de grupos, o cultivo da tolerância, da convivência frutífera com as diferenças, as contrariedades, as complementaridades, a associação necessária entre direitos e deveres, entre o exercício de poderes e a assunção de responsabilidades, a aprendizagem do exercício da autoridade sem a perda da ternura.

Entretanto, discursos eloqüentes sobre valores, desvinculados de uma prática consentânea, conduzem irremediavelmente ao descrédito, a sensação de desamparo, ou ao desenvolvimento de atitudes cínicas, que eivam perigosamente o terreno educacional. Sem uma vivência efetiva da palavra que se professa, sem esse exercício cotidiano de fraternidade entre personalidades diversas em interesses, saberes e poderes, o ambiente escolar pode ser tão propício ao cultivo de valores quanto o seria a realização de um seminário ou de uma conferência para ensinar a platéia a andar de bicicleta.

Uma integração entre o discurso e a ação constitui um ingrediente fundamental, uma condição *sine qua non* da idéia de integridade tal como aqui pretendemos caracterizar. Sem ela, qualquer expectativa de autonomia moral esvai-se completamente nas ações da vida prática. Essa articulação entre duas das dimensões fundadoras da idéia de logos - a da palavra e a da ação - é uma meta a ser continuamente perseguida, um cristal bruto a ser permanentemente lapidado pelas ações educativas, na escola ou na vida, muitas vezes por meio de instrumentos claramente heterônomos, como os que resultam da autoridade legítima, ou da ação do professor.

Referida tanto a indivíduos quanto a grupos, do modo como aqui é entendida, a integridade exige três níveis de predicados.

Em primeiro lugar, é necessário que se disponha de uma arquitetura de valores para instrumentar as ações, permitindo um discernimento autônomo do que se considera certo e do que se julga errado. Não é tão difícil estruturar-se um quadro de valores desse tipo no nível do discurso e muitas das iniciativas hoje consideradas absolutamente insanas foram justificadas, historicamente, em uma carta de princípios, uma explicitação coerente dos valores assumidos. Esse primeiro nível, ainda que fundamental, não basta para caracterizar a integridade.

Um segundo nível de exigência, diz respeito precisamente à necessidade de uma consonância entre as ações e o discurso, mesmo quando tal coerência possa produzir efeitos desagradáveis para os envolvidos. Um indivíduo íntegro não pode, por um lado, ter um perfeito discernimento dos temas que analisa, por outro lado, agir de modo dissonante do que considera correto, por razões de conveniência ou de interesse pessoal. Nada pode ser mais deletério para um estudante, por exemplo, do que uma convivência promíscua entre um discurso elaborado sobre a tolerância e uma prática opressiva nos processos escolares de avaliação. Nada parece menos íntegro do que o reconhecimento de que tal ou qual lei é injusta, mas, uma vez que ela nos favorece, procuramos tirar proveito dela.

A idéia de integridade, no entanto, exige que se vá além desses dois níveis iniciais, que podem caracterizar o conforto de uma ética da convicção, onde grande parte da integridade pessoal está garantida, mas que nos deixa sempre no limiar de uma ética da responsabilidade, onde assumimos responsabilidades públicas com aquilo que professamos. Um terceiro nível, sem o qual a integridade não se completa, diz respeito precisamente à disponibilidade dos atores, agentes individuais ou grupos sociais, para defender publicamente a razoabilidade de seus valores e de suas ações, argumentando de maneira lógica e assumindo as responsabilidades inerentes. A idéia de integridade não se completa sem essa abertura para o diálogo, para uma negociação de significados, onde não estamos dispostos a abdicar graciosamente de nossos princípios, mas aceitamos pô-los entre parênteses para examiná-los em outras perspectivas, e sobretudo, admitimos que podemos estar errados.

Em razão do que acima se afirmou, ainda que a integridade constitua uma característica fundamental para todos os seres humanos, de nenhum profissional se poderia afirmar com tanta propriedade a essencialidade da integridade pessoal quanto do professor.

No ambiente escolar, o cultivo da tolerância desenvolve-se por meio do crescimento individual, do respeito pelo outro, do reconhecimento da diversidade humana como uma grande riqueza, um imenso repertório de perspectivas a serem fundidas e combinadas de infinitas formas. Nenhum valor floresce, no entanto, sem uma vivência efetiva, onde o discurso continuamente alimenta e qualifica as ações, alimentando-se delas, simbioticamente. A condição de possibilidade de uma tal simbiose é, com todas as letras, a integridade do professor.

## 2.5 Educação e Equilíbrio

O equilíbrio como um valor esteve presente implicitamente em cada um dos quatro valores anteriormente examinados: na cidadania, na articulação entre o individual e o coletivo; no profissionalismo, na mediação entre o público e o privado; na tolerância, no reconhecimento da diversidade de perspectivas; na integridade, na simbiose entre o discurso e a ação. Examinaremos agora um novo par em que a idéia de equilíbrio é tão fundamental que pode assumir o papel de protagonista, dando até mesmo a impressão de deixar ambos os elementos em segundo plano - o que não chega a ser verdade mas motivou o sub-título acima. Referimo-nos ao par conservação/transformação, ou, equivalentemente, ao par projetos/valores.

A Educação tem sido associada, sobretudo em tempos recentes, à idéia de projeto. Múltiplas são as vias para tal associação: a caracterização da inteligência, em sentido humano, como a capacidade de ter projetos, e do próprio ser humano como aquele que faz da vida um projeto, ou que concebe e realiza projetos de vida; a construção da cidadania, entendida como uma articulação entre projetos individuais e coletivos; ou ainda, o trabalho com projetos como forma alternativa de organização do trabalho escolar, menos restrita aos encadeamentos disciplinares cartesiano-tayloristas.

Em todas as ocorrências acima, um projeto caracteriza-se sempre como uma referência a um futuro que não se encontra previamente determinado. Trata-se da antecipação de metas livremente escolhidas, de ações a serem empreendidas e cujo atingimento depende da ação do sujeito. Em outras palavras, se não há futuro, não há projetos; se o futuro já está totalmente determinado, também não tem sentido fazer-se projetos; e se a realização das metas antecipadas não depende da ação do sujeito, em sentido próprio, não há projeto.

A Educação é o lugar, por excelência, para a fecundação de projetos, para a a estruturação de ações que visem a conduzir a finalidades prefiguradas, individual e socialmente, o que pressupõe a sintonia fina entre projetos individuais e coletivos. O combustível essencial para o desenvolvimento da personalidade de cada indivíduo não é senão o espectro de projetos que busca desenvolver ao longo da vida, e que vão constituir sua "trajetória vital", na feliz expressão de MARÍAS (1988).

Por outro lado, projetos são sempre sustentados por uma arquitetura de valores. De fato, com base em quais elementos as metas são prefiguradas, os objetivos são escolhidos, senão nos valores socialmente acordados que orientam, direta ou sutilmente, as opções? A abertura relativamente ao futuro, o não-determinismo, característicos da idéia de projeto, não elidem minimamente a verdade profunda expressa nas palavras de Octávio Paz: "a liberdade consiste na escolha da necessidade". E as escolhas são guiadas por óculos valorativos, individualizados mas socialmente construídos, que constituem verdadeiros "corredores semânticos", numa feliz caracterização do lingüista BLIKSTEIN (1988).

Projetos e valores constituem, pois, os protagonistas nos processos educacionais. Em sentido amplo, o que costuma ser caracterizado como uma situação de crise na Educação, nos mais variados países e nas mais diferentes épocas, não passa de uma ausência ou de uma transformação radical nos projetos ou nos valores que os sustentam. Em tempos recentes, exemplos marcantes de crises e transformações nos projetos e valores ocorreram em Portugal, após a Revolução dos Cravos (1974), ou na Espanha, após a ascensão dos governos socialistas (1985). Não se trata, aqui, de estabelecer qualquer comparação entre os períodos que antecederam e sucederam as citadas transformações, o que caracterizaria uma extrapolação indevida dos objetivos deste artigo, mas apenas de registrar a ocorrência inequívoca de uma alteração radical nos valores socialmente acordados, articulada com a realização de novos projetos, tanto em nível individual quanto em nível coletivo.

De modo geral, portanto, o par projetos/valores encontra-se diretamente relacionado com o par transformação/conservação: na mesma medida em que as transformações são ações empreendidas tendo em vista a realização de projetos, os valores representam o necessário lastro conservativo, sem o qual os projetos podem corromper-se em divagações erráticas ou tiros no escuro. O rearranjo ou a inovação na arquitetura de valores não elidem, em momento algum, o fato de que eles representam instrumentos para a orientação dos projetos, para a definição e a conservação do rumo.

A associação da idéia de conservação à tarefa educação não costuma ser tão bem acolhida quanto o é, até instintivamente, a da transformação. Em diversos países, em razão de cenários historicamente situados, a expressão "Educação Transformadora" adquire uma conotação marcadamente positiva, ao mesmo tempo em que a "Educação Conservadora" adquire uma conotação negativa. Tratam-se, no entanto, de simplificações compreensíveis, mas de simplificações. A Educação sempre será conservadora, sempre será transformadora. Em algum lugar entre a conservação e a transformação equilibra-se a Educação.

A conservação significa um necessário comprometimento com o que está aí, com a realidade extra-escolar. Alguém que atira para todos os lados, para quem nada do que existe tem qualquer valor, nenhum ser humano é confiável, todo político é corrupto, todo empresário é ladrão, a justiça não funciona etc., pode desempenhar muitas profissões, menos a de professor. Já foi dito que o anarquismo é um luxo de minorias; afirmamos é que um óbice definitivo para a função de educador.

Em sua sala de aula, o professor tem que ter compromissos com a realidade extra-escolar; comprometer-se com ela não significa, no entanto, conformar-se a ela, submeter-se ao modo como funciona. O desejo de transformação é natural, é humano e está sempre presente nas ações educativas. Mas existem instrumentos e canais para as ações transformadoras. Existem leis a serem cumpridas. Ou substituídas por outras, se forem consideradas injustas. Se não existem os instrumentos para as transformações, é necessário concebê-los, projetá-los, torná-los reais.

O professor precisa confiar nas instituições, nos instrumentos disponíveis para regulamentá-las ou transformá-las, na capacidade humana de engendrar novos instrumentos para esses fins. Precisa confiar mais nas palavras do que na força bruta. Um professor nunca poderá duvidar do poder das palavras, da razão argumentativa; no momento em que duvidar disso, poderá tornar-se um anarquista, um guerrilheiro, mas deixará, automaticamente, de ser professor.

Equilibrando-se no espaço entre a transformação e a conservação, ouvindo sua voz interior, mas procurando manter a sintonia com os valores socialmente acordados, o professor precisa exercitar, cotidianamente, com absoluta integridade, o discernimento do que deve ser preservado e do que deve ser transformado. Esta permanente busca do equilíbrio entre o entusiasmo da transformação e a sabedoria de conservação consome sua energia mas significa e dignifica sua vida, sua vocação profissional.

## 2.6 Educação e Pessoalidade

Finalmente, sublinhemos uma qualidade implicitamente presente em todos os valores anteriormente referidos, mas suficientemente relevante para alimentar uma reflexão à parte: trata-se do caráter essencialmente pessoal da Educação. Em palavras simples, isto significa que todas as ações educacionais, todas as iniciativas devem visar ao desenvolvimento das personalidades individuais, dos projetos pessoais de existência. Toda a organização do trabalho escolar deveria estar a esse serviço.

Durante muito tempo, a educação clássica buscou, através de suas "disciplinas" formadoras, "liberar" a criança ou o candidato a ingressar na sociedade, de seus particularismos, de seus modos idiossincráticos, "elevando-o" através dos meios formais de comunicação e de expressão, do conhecimento científico e das formas legítimas de argumentação, aos domínios da razão. Buscava ainda a afirmação do valor universal da cultura, inclusive - e sobretudo - a da sociedade em que se enraizava, transbordando a mera aquisição de conhecimentos técnicos ou a preparação para o desempenho de determinadas funções sociais. Ainda que se relacionasse diretamente com a hierarquia social vigente, a escola visava à construção de um sentido de verdade, do bem, do belo, à apreciação de modelos de sabedoria, de heroísmo, o que constituía uma aproximação efetiva entre a formação moral e a intelectual, como na Paidéia, na formação do homem grego.

Com o advento da sociedade industrial, a Educação passou a centrar-se quase que exclusivamente na formação para a produção, para o trabalho. A escola tornou-se meramente uma agência de socialização e a formação da cidadania passou a ser considerada de modo simplificado, atrofiando os interesses individuais e hipertrofiando os coletivos. Paulatinamente, operou-se ainda uma separação nítida entre fatos e valores, com um abandono do mundo dos valores por parte da escola. Reduzida à ciência, a escola abdicou da preocupação com o desenvolvimento da consciência. E a Educação passou a centrar-se cada vez mais na sociedade e menos nos indivíduos.

Hoje, cresce a consciência de que a escola não pode mais ser concebida como uma via de mão única, como uma agência de socialização, de conformação dos indivíduos a configurações socialmente determinadas, independentemente de suas vocações mais íntimas. Não pode definir seu projeto educacional tendo em vista apenas as demandas do mercado de trabalho, nem organizar-se por meio de currículos onde os objetivos disciplinares contam mais do que uma formação integral do estudante. Os fatos científicos não podem ser apresentados como se fossem independentes de valores, como se a ciência pudesse prescindir da consciência pessoal. Não se pode falar propriamente em Educação se as pessoas são reduzidas aos papéis sociais que deverão desempenhar.

A escola precisa situar no centro de suas atenções a formação pessoal, precisa tornar-se uma "escola do sujeito", na expressão de TOURAINE (1997). É fundamental a percepção da existência de demandas individuais e de grupos, valorizando-se a diversidade cultural e buscando-se construir instrumentos eficazes para a comunicação intercultural.

O reconhecimento do outro, no entanto, não pode prescindir do reconhecimento de si mesmo como um sujeito livre, com uma consciência autônoma e com características pessoais inconfundíveis. Um professor que não individualiza as relações com seus alunos, que não favorece a realização de atividades por meio das quais os espectros individuais de competência são reconhecidos e valorizados, dificilmente tornar-se-á respeitado pela turma, ou obterá um envolvimento de todos no desenvolvimento dos projetos de trabalho.

Garantidas as qualidades anteriormente referidas - cidadania, profissionalismo, tolerância, integridade, equilíbrio - a escola precisa centrar-se cada vez mais na transformação dos indivíduos em sujeitos, em atores sociais conscientes, em pessoas que combinem uma identidade única com uma pertinência cultural, uma liberdade de ação e um senso de responsabilidade, projetos pessoais abrangentes e um profundo engajamento como servidor público.

A possibilidade de convivência interpessoal é garantida pela sincera busca da comunicação, da negociação das relações na construção dos significados, na confiança na capacidade de argumentação, no cultivo permanente de relações de solidariedade, de respeito mútuo, de proximidade.

Tendo como meta o desenvolvimento das pessoas, a Educação será sempre um espaço de relações intersubjetivas, um sistema de vizinhanças, de proximidades. Nesse sentido, uma expressão como "Educação à Distância" soa como uma anomalia, não fazendo qualquer sentido. Naturalmente, é possível conceber-se diferentes sistemas de proximidades e as tecnologias informáticas são pródigas em exemplos ilustrativos. Hoje, através do correio eletrônico, por exemplo, é possível a uma pessoa sentir-se mais próxima de alguns correspondentes situados a milhares de quilômetros de distância do que de seu vizinho, com o qual não tem qualquer afinidade. Mas qualquer ação que se pretenda no âmbito educacional não poderá deixar de constituir-se em um espaço de proximidades, constituído essencialmente de relações entre sujeitos, de relações interpessoais.

## 2.7 Conclusão

Ainda que a Educação constitua um dos temas favoritos das autoridades políticas, nos mais variados países, poucas vezes os debates sobre as questões educacionais conseguem ultrapassar o âmbito de sua dimensão econômica, limitando-se a uma parafernália de indicadores numéricos de diferentes tipos. E enquanto a Economia sufoca a Filosofia, a escola permanece reduzida a uma cultura utilitarista no sentido mais mesquinho, de preparação para exames, cujos resultados expressam algo cada vez mais difícil de interpretar.

Vivemos numa sociedade onde a informação é a moeda forte, onde o conhecimento transformou-se no principal fator de produção. Ao lado disso, o desequilíbrio tornou-se a característica mais notável, em todos os âmbitos sociais. As desigualdades na distribuição de renda são crescentes, em quase todos os países. A concentração de renda é acompanhada por outras, como a do trabalho: ao mesmo tempo em que o desemprego é o mal do fim do século, o excesso de trabalho dos que estão trabalhando também o é. Há indícios efetivos de que uma concentração similar poderia estar ocorrendo no que se refere ao conhecimento.

A grande importância atribuída à Educação no nível do discurso decorre, sem dúvida, do fato de que tais desequilíbrios parecem indesejáveis. E se a distribuição de terras ou de bens materiais poderia ser feita até mesmo por decreto, seguramente a "distribuição" de conhecimento não o pode; é uma tarefa indelegável da Educação.

Mas a Educação está em crise, aqui, ali e acolá. Carece de um rumo, de metas que transcendam os limites da inserção social dos indivíduos, em uma sociedade regida pelas leis da Economia. A Educação busca um novo projeto. A vida, em sentido pleno, está sempre associada à capacidade de projetar. O futuro, em todos os âmbitos, é alimentado pelo presente, que por sua vez, é sustentado, em termos de significações, pelo passado. Mesmo projetos educacionais extremamente bem sucedidos, como no caso japonês no presente século, completam seu ciclo, esgotam suas energias vitais e precisam ser renovados.

Projetos, no entanto, são sustentados por uma arquitetura de valores. Transformações nos projetos sempre estão associadas a alterações na composição do quadro de valores socialmente negociados.

Nosso objetivo, conforme inicialmente anunciamos, foi explicitar alguns valores, considerados fundamentais para a elaboração dos novos projetos educacionais, neste e no próximo milênio.

Assim, percorremos uma trilha onde sublinhamos:

- a cidadania, entendida não como uma mera inserção social em um projeto coletivo independente dos desejos do sujeito, mas como a construção de instrumentos de articulação entre os projetos individuais e coletivos;

- o profissionalismo, como um instrumento de mediação entre as esferas do público e do privado nas relações de trabalho;

- a tolerância, como um exercício ativo do reconhecimento do outro, que não busco traduzir em minha língua mas com quem quero me comunicar;

- a integridade, como uma garantia de abertura na negociação dos princípios e de proximidade entre o discurso e a ação;

- o equilíbrio entre os projetos de transformação e os valores a serem conservados;

- e a pessoalidade, como a exigência de que a Educação tenha no centro de suas atenções o desenvolvimento integral do ser humano, da diversidade de projetos pessoais de existência.

Temos consciência de que não é possível esperar um pleno acordo relativamente a todos os valores sublinhados na forma como isso foi feito. O terreno que sustenta toda reflexão sobre valores é sempre pantanoso. Afinal, dependendo da ênfase ou da compreensão de certas palavras, da realização ou não da "fusão de horizontes" de que falou Gadamer, mesmo as grandes virtudes podem degenerar em vícios ordinários, como a temperança na avareza, a coragem na afoiteza, a prudência na hesitação, a ética em moralismo. Freqüentemente, a diferença entre o remédio e o veneno pode ser apenas uma questão de dose. E o debate sobre valores é evitado, ou reduz-se ao sentido econômico do termo, a um um esgotado bate-bola entre o valor de uso e o valor de troca, com a exclusão deformadora dos valores que engendram os laços sociais.

Seria uma ingenuidade ou uma pretensão descabida, portanto, qualquer expectativa de consenso sobre os temas tratados, do modo como o foram. Esperamos, no entanto, ter contribuído para deslocar o debate sobre os rumos da Educação do terreno econômico para o filosófico, que é a sua pátria. Afinal, não há vento que ajude um barco sem rumo e muito mais do que de recursos econômicos ou de sofisticados instrumentos tecnológicos que fascinam e ofuscam as escolas nesse final de milênio, é sobre os rumos da Educação que seus profissionais precisariam estar a debater.

# Avaliação Educacional:
# sete desafios, sete motes

## Introdução

A avaliação é sempre um tema desafiador, pleno de armadilhas, como costumam ser as questões relativas a valores. Apesar de estar permanentemente em evidência, consumindo grande parte das energias que sustentam as ações governamentais nos diversos níveis, no terreno educacional, o tema está longe de uma abordagem consensual. São freqüentes, na imprensa, controvérsias sobre questões como a organização por ciclos com a aprovação automática no âmbito de um ciclo, a contraposição entre a avaliação centrada nas disciplinas ou nas competências pessoais, os critérios para a avaliação da qualidade dos livros didáticos, as características dos sistemas de avaliação dos diversos cursos de graduação ("provões") ou de pós-graduação. Muitas dessas controvérsias são protagonizadas inclusive por autoridades - como governadores ou prefeitos - que costumam manifestar sua estranheza relativamente ao significado do que costuma ser rotulado de "aprovação automática", explicitando concepções sobre a avaliação que pouco se alçam acima do senso comum, mas cobrando explicações de seus respectivos assessores ou secretários sobre os supostos desvios que estariam sendo produzidos. Também são freqüentes ocorrências de manchetes onde é evidente a superestimação e a extrapolação do significado das notas ou conceitos obtidos por alunos ou instituições, tratando-se dos processos de avaliação como se se tratassem de processos de medida em sentido físico ou matemático.

No que se segue, a avaliação será analisada numa perspectiva abrangente, que situa seu significado global e não as tecnicidades inerentes aos processos de avaliação no centro das atenções. Trata-se, sem dúvida, de um desafio pleno de riscos, como já se registrou anteriormente. Para tentar organizar a exposição, diminuindo os riscos de uma derivação genérica sobre o tema, dividiremos a tarefa em sete partes, caracterizadas como sete desafios a serem enfrentados ao se construir ou implementar um sistema de avaliação, em qualquer nível, envolvendo alunos ou instituições. Como elemento fundamental para orientar as ações, na busca da superação de cada desafio, uma palavra é apresentada, à guisa de um mote. O objetivo maior da presente exposição é chamar a atenção para a necessidade da exploração das possibilidades operativas de cada um desses motes. A expectativa é a de construir um cenário a partir do qual a idéia de avaliação possa ser examinada de modo fecundo, mais comprometido com a compreensão de seu significado mais profundo e menos contaminado pela avidez por manchetes espetaculares, que distraem os estatísticos de plantão, atraem as atenções do grande público, mas são quase sempre inócuas do ponto de vista do equacionamento dos problemas que supostamente tentam caracterizar.

# 3.1 Proeminência do valor sobre a medida: indícios

Comecemos pelos ingredientes amealhados em um dicionário de uso comum, que registra uma abordagem não-técnica do verbo *avaliar*:

**Avaliar** - *Determinar a valia ou o valor de. Apreciar, estimar o merecimento de. Calcular, estimar, computar. Fazer idéia de, apreciar, estimar. Reconhecer a grandeza, a intensidade, a força de. Determinar o preço, o merecimento, etc. Fazer apreciação, ajuizar. Reputar-se, considerar-se.*
(Aurélio, Nova Fronteira, Rio de Janeiro, s/d)

**Avaliar** - *Determinar o valor real ou o preço de. Determinar o valor moral ou o merecimento de. Reconhecer a grandeza, a intensidade, a força de. Estimar, prezar. Orçar, computar, apreciar. Reputar-se, ter-se em conta, apreciar-se.*
(Caldas Aulete, Delta, Rio de Janeiro, 1958)

**Evaluate** - *To set down or express the mathematical value of. Express numerically. To estimate or ascertain the monetary worth of. Value. To examine and judge concerning the worth, quality, significance, amount, degree, or condition of. Appraise, rate. Estimate.*
(Merriam-Webster's, EUA, 1966)

**Evaluate** - *To determine or set the value or amount of. Appraise. To determine the significance or quality of. Assess. To ascertain the numerical value of (a function, relation, etc.)*
(Random House Webster's, New York, 1999)

Como se vê, embora a idéia de avaliar inclua a de calcular, computar, determinar o preço, expressar numericamente ou expressar o valor matemático de algo, em seu cerne encontra-se, sem dúvida, a idéia de valor. Com mais ou menos ênfase, em todas as delimitações acima, elementos importantes para a caracterização da idéia são *determinar a valia ou o valor de, estimar o merecimento, julgar o valor, ajuizar.* Avaliar associa-se, pois, diretamente a estimativas de valor, a emissão de juízos de valor, em suma, ao trabalho de um juiz, muito mais do que ao de um técnico em medições. A associação entre as palavras *evaluate* e *assess*, a partir do século XV, em inglês, parece muito fecunda no sentido de uma aproximação nítida entre os sentidos de *avaliar* e *julgar:*

**Assess** - *Sit beside someone. Sit beside a judge and assist him in his deliberations.*
*(Arcade, New York, 1990)*

No trabalho de um juiz, a dimensão objetiva que costuma ser associada aos processos de medida está presente nos códigos a serem cumpridos, nas leis a serem observadas. Entretanto, nenhum código, nenhuma lei dispensa uma análise interpretativa, uma contextuação, condições indispensáveis para uma suposta "aplicação objetiva".

Esta importante dimensão do significado da avaliação - o caráter e a complexidade de um julgamento - resulta, no entanto, freqüentemente subestimada em certas vertentes do discurso educacional e na quase totalidade do discurso político relativo ao tema, superestimando-se a caracterização da avaliação como um processo de medida de natureza essencialmente técnica. Assim, por meio do recurso ao biombo da medida, são evitadas ou minimizadas grande parte das dificuldades inerentes ao enfrentamento da idéia de valor, ainda que o custo de tal alívio seja um esvaziamento no significado das reflexões sobre o tema.

Em outro trabalho, analisamos mais detidamente as limitações da caracterização da avaliação como um processo de medida em sentido físico ou matemático (MACHADO, 1995, p.258-284), destacando a necessidade da proeminência da idéia de valor sobre a de medida.

Neste momento, nossa tarefa é a apresentação de um mote para a alimentar as tentativas de superação do desafio de manter a proeminência da idéia de valor: trata-se da noção de **indício**.

De modo geral, os processos de avaliação baseiam-se em provas cabais de competência. Sejam quais forem os instrumentos de avaliação - provas, trabalhos, etc. - busca-se uma manifestação explícita da competência que se avalia e não meras suposições, ou simples indícios da mesma. E no entanto, freqüentemente, os indícios têm tanto a nos dizer...

Em tempos recentes, foi GINZBURG (1989) quem chamou a atenção de modo consistente sobre a importância dos indícios, dos pormenores que revelam o fundamental. Ainda que mensagens no mesmo sentido tenham sido enviadas permanentemente por diferentes autores, como Flaubert ("Le bon Dieu est dans le détail") ou Lichtenberg ("Se se quer saber para que lado o vento está soprando, é uma pena ou um fiapo de algodão que temos que lançar ao ar e não um pesado tijolo"), entre outros, é Ginzburg quem se detém de modo percuciente sobre o tema, em um dos ensaios de seu livro *Mitos, emblemas, sinais*, amealhando elementos para a construção do que denomina uma "metodologia indiciária" de investigação histórica. Apesar de o livro de Ginzburg não tratar diretamente de temas educacionais, ele pode ser considerado um verdadeiro manual no que se refere à concepção de avaliação.

Para caracterizar sua metodologia indiciária, Ginzburg analisa o *modus operandi* de três profissionais: Morelli, um classificador de obras de arte do período do Renascimento; o conhecido detetive Sherlock Holmes, fruto da lavra de Conan Doyle; e Freud, um dos criadores da Psicanálise.

Em seu trabalho, Morelli deixava-se guiar por um princípio estranho aos padrões cartesianos de raciocínio, pressupondo que "a personalidade deve ser procurada onde o esforço pessoal é menos intenso" (apud Ginzburg, 1989, p.146). Para distinguir quadros originais de meras cópias, buscava identificar características pessoais do autor, explicitadas aqui e ali por meio de simples indícios, reveladores da personalidade e dos gostos do autor, como a forma de pintar os lóbulos das orelhas, as unhas, a forma dos dedos, etc. Ele não se baseava nas características mais visíveis da obra, passíveis do interesse imediato de qualquer plagiador; pelo contrário, examinava acuradamente pormenores aparentemente negligenciáveis e, não obstante, potencialmente reveladores da natureza e da autoria da obra. Uma associação direta com os processos escolares de avaliação é automática: certamente, nas escolas, os "plagiadores", no sentido de que são apenas reprodutores do conhecimento organizado apresentado pelo professor, freqüentemente saem-se bem, ou pelo menos, não se saem mal; os pensadores mais originais costumam ter mais problemas de adaptação, ou de reconhecimento do valor de suas perspectivas mais insólitas.

O modo de operar de Sherlock Holmes é similar ao de Morelli: são sempre os pormenores de aparência mais circunstancial ou desprezível que terminam por conduzir ao desvelamento dos crimes mais intrincados. No fundo, o recado de Sherlock Holmes é: nada é desprezível, tudo pode ter interesse para quem tem olhos para ver.

De modo análogo, alguém que se dirija a um paciente, no âmbito da Psicanálise, solicitando-lhe que "diga objetivamente o que sente" certamente não terá compreendido a natureza das questões psicanalíticas. Os problemas precisam ser reconhecidos e diagnosticados por meio dos sinais, dos indícios que deixam escapar, dos pormenores significativos, que revelam o essencial: sonhos, desenhos, associações livres de palavras, etc.

Não seria o caso de pretender-se uma simples transposição das considerações enfeixadas no ensaio de Ginzburg para o terreno dos processos de avaliação educacional. O estágio incipiente do paradigma indiciário e a natural complexidade do ser humano não permitiriam tal afoiteza. Mas é fundamental que se leve em consideração a fecundidade da idéia de indício na construção de instrumentos de avaliação.

Um obstáculo que certamente terá que ser enfrentado é a pecha de subjetividade associada às manifestações indiciárias. Na verdade, referências do tipo "isto é muito subjetivo para ser levado em consideração" são a regra, e cuidados para uma "não-contaminação" subjetiva costumam ser muito comuns, ao pensar-se a avaliação. Trata-se, sem dúvida, de um equívoco, na medida em que a subjetividade não é um defeito a ser evitado, mas uma característica imanente aos processos de avaliação. A idéia de que a incorporação dessa dimensão subjetiva abriria portas para que o avaliador "protegesse" alguns alunos ou "perseguisse" outros é inconsistente. Admitir-se a possibilidade de tais desvios pressupõe a possibilidade de um professor que se deixa conduzir por interesses menores, o que é uma contradição de termos: professor, por definição, não pode ter alma pequena. E se não tiver alma pequena, todos os indícios que considerar relevantes devem ser incorporados ao processo de avaliação, ou seja, tudo vale a pena, como dizia o poeta.

## 3.2 Mobilização do conhecimento pela inteligência: pessoas

Vivemos numa sociedade denominada às vezes do conhecimento, às vezes da informação. Dispomos de dados cada vez mais abundantes, e convivemos com um número cada vez maior de instrumentos ou sistemas - de semáforos a computadores, passando por aparelhos de ar condicionado - chamados de inteligentes. Vivemos numa época em que cada vez é menos nítida a periodização estudo/trabalho: a educação permanente é a perspectiva dominante. Para reforçar tal ponto de vista, costumam ser apresentados dados que assegurariam que metade do conhecimento que aprendemos na escola de formação profissional caducaria em dois ou três anos. Prospecções mais ousadas garantem que, até o final de 2010, a quantidade de conhecimento no mundo irá dobrar a cada 80 dias!

A despeito da aparência e do verniz de verdade que recobre afirmações como as acima, existe nelas certa inadequação no uso de palavras como *dados, informações, conhecimento e inteligência,* sendo forte a impressão de um intercâmbio indevido, em alguns casos.

Para argumentar sobre o fato de que os sistemas de avaliação não devem centrar suas atenções no conhecimento em si, mas sim nas possibilidades de mobilizá-lo a serviço das pessoas e de seus projetos, será necessário uma breve digressão no sentido da busca de um uso mais apropriado das quatro palavras citadas. É o que faremos a seguir.

Dados, informações, conhecimento e inteligência compõem uma grande pirâmide: na base, estão os dados, dos quais são obtidas as informações, com as quais se constrói o conhecimento, que se justifica apenas na medida em que serve às pessoas.

## Pirâmide informacional

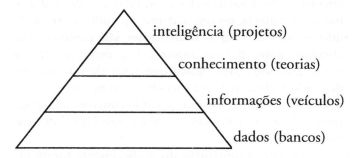

O mero acúmulo de dados, no entanto, não conduz à informação, e uma avalanche de dados precariamente representados pode nos soterrar tanto quanto uma avalanche de neve ou de entulho. Continuamente, dispomos de dados em volume crescente, e periodicamente, os censos nos conduzem a bancos de dados cada vez mais abrangentes Mas apenas as pessoas e seus interesses podem transformar dados em informações. Uma informação é um dado com relevância, com significado, que responde a algum propósito de alguém. É possível gravar em alguns CD-ROMs o nome, a profissão, a cidade onde mora e o número do telefone de todos os habitantes do planeta que possuem um tal aparelho: trata-se de um gigantesco banco de dados que não nos informa absolutamente nada - a menos que queiramos alguma coisa, digamos, por exemplo, o telefone de um dentista em Paris... Nesse caso, debruçamo-nos sobre o banco de dados e dele retiramos uma informação.

De modo análogo ao que ocorre com os dados, o simples acúmulo de informações não conduz ao conhecimento. Informações são, em geral, fragmentadas, fracamente articuladas, efêmeras, estando em permanente circulação. Se a palavra-chave, ao lidar-se com dados, é banco, a palavra correspondente, quando se trata de informações é veículo. Informações são comunicadas, circulam entre pessoas interessadas, estão sempre se reconfigurando. Uma pessoa que acumula informações de modo acrítico não se torna sábia; no máximo, é considerada sabidinha. Porque o conhecimento não pode prescindir de informações mas exige outro nível de articulação.

De fato, a construção do conhecimento pressupõe o estabelecimento de uma densa rede de interconexões entre as informações, uma apreensão do contexto, uma compreensão do significado, uma visão articulada de todo o cenário de informações, que se torna passível de uma mobilização para a ação. Em síntese, a palavra-chave associada ao conhecimento é teoria, em seu sentido mais nobre, de capacidade de olhar ... e ver.

Por mais relevante que seja a distinção entre o conhecimento e a mera informação ou o dado bruto, o conhecimento não pode ser considerado um fim em si mesmo. Acima do nível do conhecimento, situam-se as pessoas, com sua inteligência, com seus interesses, seus desejos, seus projetos.

Em sentido humano, a inteligência pode ser diretamente associada à capacidade de ter projetos. Em sintonia com filósofos como Ortega y Gasset ou Julián Marías, é possível caracterizar o modo de ser do ser humano como um permanente pretender ser. Continuamente, sustentados por uma arquitetura de valores socialmente acordados, elegemos metas e nos lançamos em busca das mesmas. Naturalmente, não é qualquer meta que vale: há o que vale e o que não vale. E o comportamento inteligente em sentido humano pode ser associado ao discernimento na escolha das metas e no lançar-se à frente, a buscar realizá-las, a esse contínuo projetar e projetar-se. O ser humano não só não vive sem projetos como faz da própria vida um projeto. De computadores ou de animais não se pode falar propriamente que têm "projetos de vida"...

Existe, portanto, entre o conhecimento e a inteligência uma relação similar à existente entre os dados e as informações: assim como um banco de dados sem qualquer pessoa nele interessada pode ser considerado mero entulho, de todo conhecimento do mundo pode dizer-se, analogamente, que, se não estiver em condições de ser mobilizado para a realização dos projetos das pessoas, será mera matéria morta. Ao fim e ao cabo, o que conta são as pessoas e seus projetos.

Naturalmente, uma afirmação como a acima não pode ser confundida com a pressuposição de que todo conhecimento apenas se justifica em razão de suas aplicações práticas. Falar-se das pessoas, de seus sonhos, de seus interesses, de seus projetos é muito diferente de reduzir o significado do conhecimento a uma condição de aplicabilidade. Em um poema muito interessante, escrito na década de 20, T. S. Eliot expressou magistralmente uma idéia semelhante à da imagem da pirâmide anteriormente referida. Pedimos emprestados apenas três dos versos de tal poema para ilustrar o sentido da priorização que se pretendeu sublinhar:

...

*Where is the Life we have lost in living?*
*Where is the wisdom we have lost in knowledge?*
*Where is the knowledge we have lost in information?*

...

*(Choruses from "The Rock"; Selected Poems/Faber Editions, London, 1961)*

Escrevendo nos EUA, na década de 20, certamente não faria qualquer sentido o recurso à palavra "inteligência", tão comprometida, no contexto, com a idéia de testes de nível mental; a referência que faz à sabedoria (wisdom), ao saber com discernimento, com valores e projetos, desempenha papel similar ao da inteligência na pirâmide referida. Como se trata de um período anterior ao aparecimento dos computadores eletrônicos, a explosão no acúmulo acrítico de dados também não se faz notar. Se se fizesse, talvez o poeta tivesse acrescentado um verso a seu poema:

*Where is the information we have lost in data...*

A longa digressão acima tem, no que se refere ao significado da avaliação, apenas a intenção de sublinhar o fato de que, na escola básica, nenhum conhecimento deveria justificar-se como um fim em si mesmo, devendo estar, permanentemente, a serviço das pessoas. Vamos recorrer a uma situação concreta para ilustrar tal fato.

É comum ouvir-se lamentos de professores relativamente a supostas deficiências dos alunos no conhecimento de temas específicos, como, por exemplo: "O aluno X não sabe sequer calcular a área de um quadrado! Nem mesmo a área de algo tão simples quanto um quadrado! Um quadrado!" Normalmente, gasta-se mais tempo para lamentar uma deficiência desse tipo do que se gastaria para suprir a mesma com o conhecimento ausente. De fato, não é difícil ensinar-se como se calcula a área de um quadrado, de modo que o suposto problema seria facilmente superado. Na verdade, não se trata de um problema, ou pelo menos, de um problema sério. Um verdadeiro problema encontramos quando temos um aluno que não sabe calcular a área de um quadrado - e nem quer saber! O professor pode esforçar-se ao máximo para explicar-lhe, sem conseguir, se lhe falta a vontade de saber. Se ele quiser saber, procurará por sua própria iniciativa, buscará em um livro, perguntará a um colega, ao professor, encontrará, enfim, a informação de que precisa para suprir a deficiência em conhecimentos. Se não quiser saber, de pouco adiantarão todos os esforços para ensiná-lo.

Tal situação imaginária pode contribuir para esclarecer o significado e o papel do professor: mais do que dar a matéria, mais do que "transmitir conhecimento", ao professor compete, precipuamente, despertar o interesse dos alunos, fazê-los querer, desejar, ter vontades, em outras palavras, estimular e semear projetos. São os projetos que nos mantêm vivos, que nos realizam como pessoa. Toda matéria, todo conhecimento é instrumento, é pretexto. O que vale efetivamente são as metas que perseguimos, os valores que nos guiam. Nenhuma avaliação deveria perder de vista tal fato.

## 3.5 Compromisso entre o absoluto e o relativo: projetos

A construção de um compromisso entre o caráter absoluto de certos valores a serem avaliados e a natural necessidade de considerá-los em seu cenário, no contexto em que se constituíram, é um grande desafio da tarefa de avaliar.

Certamente, existem conhecimentos ou valores que se deverão estar presentes em qualquer contexto, que têm um significado aparentemente absoluto, universal. De todos os alunos, espera-se o desenvolvimento da capacidade de leitura, de expressão em diferentes linguagens, incluindo-se a matemática e a artística, a capacidade de compreensão de fenômenos, de organização das idéias, de argumentação. Em todos os contextos, a vida é um valor maior, que não tem preço, e que deve ser respeitado e preservado a qualquer custo. Assim como o é a liberdade de expressão, a tolerância, a integridade, a solidariedade, entre outros.

O aparente consenso em relação a valores ou conteúdos como os citados não elide duas questões fundamentais, que caracterizam o desafio da articulação entre o absoluto e o relativo que se está a sublinhar. Em primeiro lugar, há o fato de que nenhum valor pode ser considerado isoladamente: os valores sempre constituem um cenário de inter-relações, de compromissos mútuos, sem o qual o discurso sobre um deles pode significar pouco mais do que mera retórica.

Consideremos, por exemplo, a tríade de valores que serviu de lema à Revolução Francesa, sobre a qual parece haver um amplo consenso: Liberdade, Igualdade, Fraternidade. Naturalmente, o território da liberdade é o das formas de expressão, dos valores acordados e cultivados, é, em outras palavras, o âmbito da cultura. Já a igualdade deve ser professada e exercida essencialmente no terreno jurídico: sem dúvida, todos devem ser iguais perante as leis, ainda que a diversidade seja a regra no terreno cultural, por exemplo. E o terreno propício para o exercício da fraternidade é, naturalmente, o econômico, ainda que certa superestimação do liberalismo econômico tenha empurrado, paulatinamente, tal exercício para o âmbito religioso, ou da assistência social.

Algumas vezes, desvios de âmbitos como os citados chegam a ter aspecto caricato e são facilmente reconhecíveis. É o que ocorre, por exemplo, quando a fraternidade anima o terreno cultural ou político, dando origem a protecionismos ou nepotismos. Ou quando um vereador de determinado município reage à obrigatoriedade no uso do cinto de segurança, nos veículos, com o argumento de que tal uso limita a liberdade, ou o direito de ir e vir do cidadão. Tais anomalias podem contribuir para ressaltar a necessidade da consideração dos valores constituindo um cenário, um quadro acordado, solidário com um contexto sem o qual o significado de cada componente não pode ser plenamente compreendido. Mesmo um valor maior, como a vida, não escapa a essa necessidade de contextuação. O significado da vida, da *bíos* grega, estava comprometido com a visão de mundo, com a noção acordada de participação política, de cidadania, deixando de lado, por exemplo, os escravos, que constituíam quase 60% da população de Atenas.

Analogamente, a manutenção da vida apenas em sentido físico ou biológico, sem outras preocupações que incluam, por exemplo, a liberdade de ação, o direito à palavra, a possibilidade de participação política, não condiz com as caracterização da humanidade do homem, da vida ativa, ou do sentido humano da vida.

De modo geral, portanto, os valores sempre constituem um cenário, que alimenta e simbioticamente é alimentado pelo projeto de sociedade a que se referem. É falso o dilema que nos sugere a opção entre o caráter absoluto ou o completo relativismo dos valores. Há um grande espaço a ser preenchido entre tais extremos e para um equacionamento do necessário compromisso entre o absoluto e o relativo, no que tange a valores, um mergulho na idéia de projeto parece fundamental.

Já nos referimos à capacidade de projetar como uma característica tipicamente humana: não há vida inteligente, em sentido humano, sem o exercício permanente desse pretender ser, da eleição de metas consideradas valiosas e do lançar-se em busca das mesmas. Sem projetos, não nos constituímos como pessoas, não realizamos nossa identidade pessoal, não nos mantemos vivos. É próprio do ser humano fazer da própria vida um projeto.

Por outro lado, se não vivemos sem projetos pessoais, não vivemos apenas de projetos pessoais. É também característica do ser humano a busca permanente por horizontes e objetivos mais amplos, por metas que vão muito além dos interesses puramente individuais. É marcadamente humana a necessidade de participação, do sentimento de fazer parte de algo maior, de partilhar metas com outras pessoas, em diversos âmbitos. Em outras palavras, não vivemos sem projetos em sentido coletivo.

Às vezes, a busca do sentido de participação em projetos ou esferas mais abrangentes parece limitar-se ao âmbito religioso - a religião sempre teve esse sentido de re-ligação do indivíduo com o cosmos - ou então desvia-se para a participação política em sentido estrito. Ainda que, nos dois casos, tais formas de atuação apenas referendem a necessidade humana de participação, certamente os projetos coletivos não podem ser reduzidos ao par acima. Não é possível, sem o risco de uma simplificação excessiva, a classificação dos projetos em apenas dois tipos, os pessoais e os coletivos. Há, na verdade, uma multiplicidade de níveis de participações, de metas, de projetos. Podemos participar coletivamente de decisões familiares, ou no bairro em que moramos, ou na instituição em que trabalhamos, ou no sindicato da categoria profissional a que pertencemos, ou na ONG a que dedicamos parte de nosso tempo livre. Mesmo quando limitados aos projetos educacionais, podemos estar nos referindo ao projeto - ou à ausência de projeto - da educação brasileira, ou ao projeto institucional do estabelecimento em que lecionamos, ou do projeto pedagógico do mesmo, ou ainda, aos projetos como metodologia, como ferramenta de trabalho, tanto interdisciplinares quanto no interior das próprias disciplinas.

Em todos os casos, a necessidade de articulação, de solidariedade, de compromisso entre projetos individuais e coletivos é sempre fundamental. Dentro de certos limites, escolhemos uma instituição para trabalhar na medida em que vislumbramos uma harmonia entre o projeto institucional e os projetos pessoais que alimentamos; votamos em determinado partido - ou candidato - em razão das expectativas de convergência entre as visões de mundo expressas nos programas e as que preferimos e professamos; convertemo-nos a certa religião em função de uma busca de uma sintonia mais fina entre os princípios que a fundamentam e as verdades em que acreditamos.

De modo geral, essa permanente busca de articulação entre interesses, vontades, projetos pessoais e coletivos, em seus diversos níveis, é o verdadeiro sentido do exercício da cidadania. A construção da cidadania consiste na viabilização de instrumentos de articulação entre tais interesses, entre tais projetos. Votar ou ser votado é apenas um instrumento para tal articulação. Alfabetizar uma criança ou ensinar a ela matemática ou história também o são. Participar de projetos coletivos no bairro, no clube ou em trabalhos de equipe, na escola, constituem, igualmente, exercícios de construção da cidadania.

Voltemos agora à questão da avaliação.

Apesar da aparência acaciana, é necessário chamar a atenção para o fato de que toda avaliação somente pode ser realizada e interpretada no âmbito do projeto em que se insere. As metas perseguidas, os objetivos previamente fixados constituem o parâmetro decisivo para qualquer processo de avaliação. Todos têm que ser avaliados, indivíduos ou instituições. Mas nem todos perseguem as mesmas metas e a diversidade de pessoas, instituições, culturas é quase tão grande quanto a diversidade de projetos. Cada um tem que ser cobrado no sentido de que realize da melhor maneira possível aquilo que se dispõe a realizar. Não se pode exigir de todos que cumpram as mesmas metas, que tenham os mesmos objetivos, ou que atinjam os mesmos resultados. Cada instituição tem que ser cobrada no sentido de realizar de modo consistente aquilo que é seu projeto. Se um colégio tem como meta precípua preparar para os exames vestibulares, não cabe a um avaliador externo indicar a estreiteza de tal meta. Um pai matriculará seu filho em tal colégio se estiver em sintonia com o projeto do estabelecimento. Ou procurará outra instituição com um projeto que mais lhe apeteça. Buscará uma escola Waldorf, ou uma instituição religiosa, uma escola ortodoxa judaica, um colégio militar, etc. etc. etc. Não se pode, no entanto, pretender, no momento da avaliação, que todos atendam aos mesmos requisitos.

Em nível individual, a superestimação de conteúdos disciplinares que deveriam ser conhecidos por todos os alunos, independentemente de seus projetos pessoais, conduz, freqüentemente, a desencontros, incongruências e infelicidades no momento da avaliação. Picasso abandonou a escola antes dos 10 anos. Nunca mais voltou. As declarações de seu professor de aritmética de então são patéticas, numa análise a posteriori. O bacteriologista Paul Erlich teve permanentemente dificuldades nas aulas de redação. Se não houvesse sido dispensado de uma aprovação formal nas mesmas, teria, provavelmente, repetido de ano sucessivas vezes, ou abandonado a escola. Os exemplos podem ser multiplicados.

Uma resposta comum à dificuldade representada pela diversidade de projetos é o estabelecimento de um conteúdo mínimo que todos deviam conhecer, independentemente dos projetos pessoais. As disciplinas e seus programas teriam que estabelecer tais mínimos, iguais para todos. A realidade indica de modo nítido, no entanto, que a idéia de disciplinar por meio de um currículo mínimo tem conduzido sistematicamente a uma de duas situações igualmente indesejáveis: ou os mínimos aumentam exageradamente de volume, tornando os programas desnecessariamente extensos, impossíveis de serem cumpridos, ou os mínimos reduzem-se efetivamente a um pequeno núcleo de competências, facilmente incorporadas por todos, o que torna insuficiente ou inexpressivo relativamente aos conteúdos apresentados a limitação do processo de avaliação a esse núcleo.

Desvios como os acima referidos parecem estar acontecendo de modo sistemático, tanto nos exames vestibulares (programas desnecessariamente extensos) quanto nos exames de avaliação de cursos superiores - os chamados provões - onde o núcleo mínimo de conteúdos é claramente insuficiente para uma avaliação do que teria sido oferecido pelo curso, ou para uma prospecção sobre o desempenho nas diversas carreiras.

Insistimos: tanto em nível pessoal quanto em nível institucional, a avaliação deve levar em consideração a diversidade de projetos. Assumir tal perspectiva configura um grande desafio, que pressupõe a integração de elementos subjetivos aos processos avaliativos. Não se trata, no entanto, de uma tarefa que possa ser evitada. Uma vez que a diversidade é a regra, que toda homogeneidade é artificialmente construída, resta o apoio/ consolo da sabedoria popular: o que não tem remédio, remediado está.

## 3.6 Equilíbrio entre a diversidade e o controle: tolerância

Se as pessoas é que contam, se a diversidade é a regra, como avaliar tantos alunos sem constrangê-los além do necessário? Como organizar o trabalho na escola, levando em consideração tanto a multiplicidade de projetos individuais quanto a necessidade de organização e de controle, inerente aos processos educacionais? Como viabilizar a vivência da cidadania, da articulação entre o interesse pessoal e o coletivo, sem os riscos dos desvios tanto do individualismo quanto do totalitarismo? Para uma reflexão sobre o desafio representado pelas tarefas supra-citadas, é necessário levar em consideração uma palavra-chave, que é a tolerância. Nenhum valor pode ser mais fundamental, mais vital ao exercício da autoridade, à construção da cidadania, à convivência racionalmente regulada por normas em regimes democráticos. No enfrentamento do desafio de conjuminar a diversidade e o controle, o mote é precisamente a idéia de tolerância.

A avaliação sempre será um instrumento de controle, ainda que tal rótulo pareça desconfortável, quando se tem em mente certa conotação negativa da ação de controlar. Mas, sem meias palavras, a idéia de controle é importante para as ações vitais mais comezinhas, e é imprescindível ao exercício da autoridade, qualquer que seja o âmbito em que ela se constitua.

Os processos escolares de avaliação constituem instrumentos de controle no âmbito do exercício da autoridade do educador. Uma autoridade enraizada tanto no conhecimento quanto na natureza da função desempenhada. E é no âmbito em que se exerce uma autoridade que a idéia de tolerância cresce em importância. Ser tolerante com algo, com alguém, com algum pensamento ou ato que não me diz respeito é muito fácil. É como tolerar a dor que não se sente. Em certos casos, a extrapolação dos âmbitos que nos dizem respeito faz com que a idéia de tolerância transforme-se em mera arrogância.

A tolerância relaciona-se diretamente com a capacidade de perceber o outro como pessoa, potencialmente capaz de construir e realizar seus projetos. Como professores, cabe-nos a tarefa de fazer com que os alunos tenham vontades, sejam capazes de sonhar, que são condições prévias à construção de qualquer projeto. Compete a nós, ainda, estimular projetos, semear valores que lhes dão sustentação. Cabe-nos pôr em discussão e argumentar sobre o que vale e o que não vale. Mas não nos compete decidir sobre quais projetos são adequados para outra pessoa, ou, no limite, ter projetos por ela.

Mesmo quando animados pelo mais profundo interesse pelo outro, ainda que as intenções sejam as melhores possíveis, é possível assumir atitudes intolerantes, que quase nos passam despercebidas. É possível ser intolerante com muito afeto. Por exemplo, alguém que dá um presente pensando no que gostaria de receber do outro, e não no que o outro gostaria de receber, está sendo docemente intolerante. Um pai que oferece ao filho um brinquedo caro, que gostaria de ter recebido quando criança, comprado, talvez, com sacrifício financeiro, às vezes fica desapontado com a falta de entusiasmo com que o presente é recebido. Com fina ironia, fazendo contraponto com a máxima cristã, Bernard

Shaw já alertava: *"Não dê aos outros aquilo que gostarias de receber deles; eles são diferentes de ti"*. No mesmo sentido aponta o poema de Antonio Machado : *"Enseña el Cristo: a tu prójimo amarás como a ti mismo; mas nunca olvides que es otro."*

Na percepção do outro, a idéia de tolerância envolve três níveis: o do conhecimento, o do reconhecimento e o do respeito. Em primeiro lugar, é preciso tomar conhecimento da existência do outro, ainda que isto não baste para caracterizar a tolerância. Ao chegar ao Brasil, Cabral deparou com os chamados "índios", denominação que, em si, já caracteriza a atribuição ao outro de propriedades presentes no olhar de quem chega. Indo-se um pouco além, é preciso reconhecer o outro como diferente de mim, abdicando da intenção primária de traduzi-lo ou convertê-lo em meus próprios referenciais. Não se pode olhar para os "índios", por exemplo, como meros "pagãos" a serem convertidos. É preciso que a intenção de comunicação ultrapasse a pressuposto de que, para falar comigo, é imprescindível aprender a minha língua. Em terceiro lugar - e em sintonia com o conhecimento do outro e o reconhecimento das diferenças - é necessário respeitar o outro como ser humano, com todas as potencialidades inerentes a tal condição. Para tanto, mais do que uma avaliação do outro que seja determinada de modo absoluto pelas nossas categorias de análise, pelos nossos valores, mais do que uma intenção de catequese, de tradução em nossa língua, ou de redução ao nosso sistema de referência, é preciso a confiança no acordo por meio do discurso, nas ações orientadas ao entendimento, nas possibilidades de uma compreensão mútua, de uma fusão de horizontes, no que se refere à partilha de significações.

No que se refere especificamente à avaliação das matérias escolares, como já foi dito anteriormente, seria necessário uma atenção permanente sobre seu caráter instrumental: os conteúdos disciplinares, de modo geral, justificam-se em função das possibilidades de mobilização a serviço das pessoas e de seus projetos. Entretanto, uma das formas mais freqüentes de manifestação de intolerância nos processos escolares de avaliação está associada a certa "intolerância disciplinar", certa exorbitância na caracterização do papel das disciplinas. Na defesa intransigente da imprescindibilidade do conhecimento de determinados assuntos, tem lugar um "corporativismo disciplinar", que constitui, sem dúvida, um importante foco de manifestação de intolerância. Se um aluno não sabe tal ou qual assunto, considera-se, muitas vezes, que sua aprovação é intolerável, como se se trocasse o sinal da suposta intolerância. Em situações como essas, é fundamental a tentativa de apreensão da pessoa por inteiro, com suas deficiências e competências. É preciso ter alma grande, como dizia o poeta, e não se deixar impressionar demasiadamente por carências tópicas, muitas vezes superestimadas

Resumindo, afirmamos que, nos processos escolares de avaliação, carece-se, comumente, desse tomar conhecimento, reconhecer e respeitar o outro, no sentido da manutenção de canais abertos para a percepção de indícios de competências. Carece-se da expectativa e da esperança sincera pelas imensas e, muitas vezes, insuspeitadas potencialidades de todo ser humano, do respeito pela diversidade de projetos. Ninguém é - ou mantém-se professor - sem conservar uma infinita ilusão pelas possibilidades de cada ser em formação, sobre quem atuamos ou influímos diretamente, explícita ou tacitamente. Não é admissível a perspectiva de um "lais-ser faire", é preciso assumir a responsabilidade inerente à autoridade que se exerce, é necessário orientar e con-trolar. Entretanto, diante da inesgotável riqueza da diversidade humana, toda a reconhecida necessidade de controle deveria submeter-se ao imprescindível crivo da tolerância.

## 3.7 Solidariedade entre a ética e a técnica: integridade

A construção de instrumentos de avaliação é uma operação complexa, incluindo uma dimensão técnica que não pode ser subestimada. O voluntarismo das boas idéias ou intenções não basta. Conceitos como validade, fidedignidade, precisão, acurácia, entre outros, devem ser levados em consideração na construção dos instru-mentos para a obtenção dos indicadores ou das medidas. Por outro lado, uma vez que toda avaliação sempre está diretamente relacionada à idéia de valor, sempre deve estar vinculada ao projeto em que estão desenhadas as metas e os princípios que orientam as ações, a dimensão ética dos processos avaliativos também é inegável e facil-mente reconhecível.

Algumas vezes, a consciência sobre a necessidade de valorizar determinados aspectos ou temas leva à pos-tulação, para processo avaliativo, de determinadas carac-terísticas que, tecnicamente, não são passíveis de realiza-ção. A complexidade das variáveis consideradas não per-mite a construção de instrumentos tecnicamente confiá-veis. Outras vezes, em decorrência do fato de ter-se ins-trumentos excelentes para a medida de determinada variável, ela é privilegiada em relação a outras mais difíceis de de serem medidas. De modo geral, a busca de um equilíbrio, de uma solidariedade entre as dimensões ética e técnica dos processos de avaliação é um grande desafio a ser enfrentado por quem quer que se debruce sobre o tema.

Consideremos, por exemplo, um tema tradicionalmente associado à avaliação, qual seja, a "cola". Em diferentes sistemas ou instituições, tal tema pode revestir-se de características mais ou menos problemáticas. Pode, inclusive, não significar problema algum. Vamos utilizá-lo apenas para ilustrar as imbricações entre a ética e a técnica ao refletir-se sobre a avaliação.

Há quem afirme, muitas vezes entre a ironia e a pilhéria, que "quem não cola, não sai da escola". Outras vezes, mesmo entre educadores sérios e competentes, ouvem-se vozes que justificam a cola como uma decorrência natural da vigência de programas abstrusos, ou da ação de professores autoritários ou intolerantes. Em nosso ponto de vista, um ditado como "a cola é o fim da escola" parece muito mais pertinente. E a justificativa da violação de uma lei que julgamos descabida, ou da rebelião contra uma autoridade considerada intolerante é uma porta aberta para um sem número de mal-entendidos, do ponto de vista ético. Leis descabidas devem ser substituídas por outras, consideradas aceitáveis. Autoridades que exorbitam devem ser limitadas por leis. E para isso, devem existir instrumentos ou canais legítimos de manifestação e negociação. Se não existem, devem ser criados. Se isso demora, é preciso ter paciência. Sem paciência, não se pode educar para a democracia. Muitos regimes de força, ao longo da História, basearam-se em um projeto muito bem elaborado, considerado valioso pelos que detinham o poder, mas não tinham tempo disponível para longas negociações, onde se pode ganhar ou perder com a força dos argumentos. Esquecer-se disso e pregar uma banalização da idéia de desobediência civil é um desserviço que se presta aos regimes democráticos. Erros não podem ser consertados por outros erros. Erros nunca se compensam, sempre se somam.

Suponhamos, por um momento, que estejamos de acordo com relação ao fato de que a instituição da cola é absolutamente inaceitável, devendo ser combatida. Quais os instrumentos de que dispomos para isso? Quais os caminhos? Na situação em exame, a opção pelo combate à cola por meio da dimensão técnica da avaliação é um claro exemplo de como o remédio pode aguçar a doença. Trata-se, seguramente, de um caminho que conduz a parte alguma. Elaborar provas de vários tipos, em cada sala, trocar a ordem das questões, recorrer a um grande números de fiscais, que observem os alunos pelas costas, etc. etc. etc., tudo isso somente aumenta o apetite. A esperteza de um dos lados alimenta a esperteza do outro. Transforma o combate em um jogo, em uma brincadeira mais desafiadora do que os conteúdos das questões, ou em uma briga de gato e rato.

A cola deve ser combatida com o foco em sua dimensão ética. Trata-se de uma desonestidade, de uma deslealdade, de um roubo. É uma questão de princípios, de valores. Por outro lado, poucas coisas são mais desinteressantes e inócuas do que discursos explícitos sobre valores. Valores precisam ser vivenciados, em situações concretas. Somente assim podem ser incorporados.

Para promover ações que signifiquem um efetivo combate à cola, pode-se recorrer à valorização das inúmeras competências que podem ser vislumbradas na capacidade de colar, trazendo-as das sombras para a luz do dia. Por exemplo, a competência na elaboração de uma cola revela, freqüentemente, uma capacidade de síntese que, longe de ser combatida, deve ser estimulada, em procedimentos lícitos. A instituição de uma prova com consulta - apenas a resumos individuais, preparados pelos alunos - pode estimular a elaboração de "colas" lícitas. A valorização do recurso a anotações pessoais, ao uso do caderno, que poderia ser utilizado em algumas das provas, também aponta na mesma direção. Os alunos percebem rapidamente que de pouco adianta copiar toda a Enciclopédia no caderno. Eles aprendem a discernir o essencial do assessório, a dispensar anotações sobre o que conhecem de cor, a mapear o conhecimento, sem preocupar-se desnecessariamente com pormenores irrelevantes. Muitas outras formas podem ser imaginadas, sempre com as atenções voltadas para a componente ética do problema analisado.

De modo geral, para a construção de uma solidariedade necessária entre as dimensões ética e técnica dos processos avaliativos, uma idéia fundamental que pode servir de mote é a de integridade. Um sistema de avaliação não corre o menor risco de funcionar a contento se carece de tal característica.

A idéia de integridade está associada a três princípios. Em primeiro lugar, é preciso haver nitidez no discernimento do que se julga certo e do que se julga errado. Os alunos esperam que o professor se posicione sobre as diversas questões que analisa. Ele não pode ficar permanentemente em cima do muro. Há o que vale e há o que não vale. O professor não pode prescindir de um quadro de valores que professa. No caso do sistema de avaliação, esse primeiro patamar da integridade significa que existem regras e que elas são claras e conhecidas por todos. O que, embora imprescindível, não basta para caracterizar a integridade do sistema.

Em segundo lugar, é preciso que as regras produzam efeitos, que se viva efetivamente de acordo com elas. Em outras palavras, é necessário uma sintonia entre o discurso e a ação. Nada é mais comprometedor, mais deletério para um sistema do que regras que ora valem, ora não valem, ou que são ignoradas sem qualquer explicação. Quando isso ocorre, tacitamente, alimenta-se uma grande fabricação de cínicos, desiludidos ou revoltados. Os alunos observam, registram e concluem: é assim mesmo, a vida é assim, todo mundo mente, todo político é corrupto, todo empresário é ladrão, etc. Ou se rebelam, explícita ou tacitamente, alimentando mágoas ou enfrentando punições consideradas injustas.

Não basta, no entanto, haver regras e viver-se de acordo com elas para que a integridade de um sistema esteja garantida. Existem pessoas que professam certas regras de conduta, vivem de acordo com elas,... e se fecham para todo o resto do universo. O raciocínio é o seguinte: "Eu não faço mal a ninguém, sempre ajo de modo correto, o resto que se dane." E nesse "o resto que se dane", a integridade vai embora pelo ralo. O terceiro princípio que completa a caracterização da idéia de integridade é o da permanente abertura no quadro de valores que se professa. As regras existem para serem cumpridas, mas também para serem analisadas e eventualmente modificadas. O professor deve explicitar aquilo em que acredita, as regras que orientam sua ação. Não se resigna facilmente em ceder terreno, ao sabor do vento. Tem princípios e convicções. Mas deve estar sempre disposto a argumentar para defendê-los. E deve, sinceramente, aceitar correr o risco de ser convencido da necessidade de mudar de rumo, de alterar o quadro. Somente uma abertura nesse sentido pode garantir a integridade, tanto a pessoal quanto a do sistema de avaliação.

## 3.8 Sintonia entre as concepções e as ações: rede

Um dos desafios já analisados, inerente aos processos de avaliação, é o de manter a atenção não no conhecimento em si mas sim na capacidade de mobilização do conhecimento a serviço das pessoas e de seus projetos. Um dos maiores mal-entendidos relativamente a tal fato é a idéia de que, ao assumir tal pressuposto, a importância do conhecimento resulta diminuída. Trata-se, sem dúvida, de uma impressão falsa. O deslocamento do foco das atenções das disciplinas escolares para as competências que elas devem desenvolver não significa abandonar as disciplinas. Não existem competências que se manifestam no vazio, sem conteúdo. Em múltiplos sentidos, a escola sempre será um lugar importante para o trabalho disciplinar. O modo de conceber as disciplinas e seu papel pode variar. Hoje, as relações entre elas precisam ser muito mais estreitas. Se as disciplinas sempre compuseram um sistema, um mapeamento do conhecimento a serviço da formação pessoal, parece cada vez mais claro que elas perdem progressivamente o significado, a capacidade de apreensão da realidade quando são consideradas isoladamente. E a avaliação sempre estará referida às disciplinas, ao mapeamento do conhecimento, que é a função maior do trabalho realizado na escola.

Ocorre, no entanto, que a concepção de conhecimento está se transformando, sobretudo em razão do florescimento das tecnologias informacionais. E tal concepção é responsável, explícita ou tacitamente, pela orientação e pela forma de organização das ações docentes, nos diversos níveis de ensino. Planejamento e avaliação, por exemplo, são ações que não prescindem da concepção de conhecimento que se professa ou que subjaz. E é muito comum ocorrer uma falta de sintonia entre as concepções e as ações. Quando o discurso sobre o conhecimento não se coaduna com as ações docentes, o desencontro explode nos processos de avaliação. A busca de tal sintonia é um grande desafio. É o que analisaremos a seguir.

Já vai longe o tempo em que se concebia o aprendizado como o processo de enchimento de um balde. Os alunos seriam como baldes vazios e aos professores cabia "dar a matéria". Talvez em momento algum tal pressuposição tenha sido tão explícita, tão simplória que parece mera caricatura. Hoje, não existem mais, no que se refere ao discurso sobre o tema, quem se pretenda "baldista". Todos são "construtivistas", mesmo que alguns não tenham uma idéia muito clara do que significa sê-lo. Há um acordo praticamente generalizado sobre o fato de que o conhecimento deve ser construído a partir das relações vivenciadas pelos alunos. A grande questão que permanece desafiadora é: como se constrói o conhecimento? Como um grande encadeamento ou como uma rede que se tece? Entretanto, quando as ações docentes como avaliar ou planejar são observadas de modo mais detido, podem ser registrados acessos ou recaídas "baldistas", mesmo entre os que repudiam o enquadramento em tal classificação.

Consideremos, por exemplo, a expressão "nível de conhecimento". É muito comum ouvir-se alguma reclamação de professores quanto ao "nível" dos alunos. Embora tal expressão esteja em total sintonia com a imagem de conhecimento como enchimento de um balde, ela não pode ser facilmente compreendida na perspectiva de outras concepções. Mesmo assumindo-se a imagem cartesiana de conhecer como decompor e encadear, não se poderia garantir que uma cadeia é tanto mais interessante quanto mais longa; até a sabedoria popular registra que uma cadeia é tão forte quanto o mais fraco de seus elos. De modo geral, os limites da metáfora do "nível do conhecimento" são bastante visíveis. Embora, em certo sentido, haja acumulação, em outros mais decisivos o cenário do saber é que serve de referencial para uma avaliação da fecundidade ou da extensão do conhecimento.

Uma imagem emergente para a representação do conhecimento, inspirada, em grande parte, nas tecnologias informacionais, é a da rede. Conhecer seria como enredar, tecer significações. O que inclui o encadeamento mas abre inúmeras outras possibilidades articulação de relações. Em outro trabalho, exploramos mais detidamente as relações entre as concepções de conhecimento e as ações docentes (MACHADO, 1995). Aqui, vamos nos limitar a chamar a atenção sucintamente sobre a imagem da rede, uma vez que ela parece fornecer um mote importante na busca da sintonia entre a concepção de conhecimento e a ação docente de avaliar.

Inicialmente, reiteremos algumas pressuposições, que balizarão o que se segue. Nosso ponto de partida é o fato de que o conhecimento é algo que se constrói. A questão fundamental é como se constrói o conhecimento. De modo geral, a idéia hegemônica ainda é a de conhecer como encadear, uma imagem enraizada no pensamento cartesiano (século XVII). Ordenação necessária dos assuntos a serem ensinados, pré-requisitos, seriação são palavras-chave, no âmbito de tal imagem. Se é verdade que praticamente não há mais não-construtivistas, também parece sê-lo a assunção de que a construção do conhecimento se dá por meio de um grande encadeamento. Tratar-se-ia, assim, de um construtivismo cartesiano. Mas insistimos em que a questão fundamental de como se constrói o conhecimento permanece em aberto, a merecer todas as atenções.

A esse respeito, cresce a cada dia a importância da idéia de que conhecer é, cada vez mais, partilhar significados. Os significados, por sua vez, são construídos por meio de relações estabelecidas entre os os objetos, as noções, os conceitos. Um significado é como um feixe de relações. O significado de algo é construído falando-se sobre o tema, estabelecendo conexões pertinentes, às vezes insuspeitadas, entre diversos temas. Os feixes de relações, por sua vez, articulam-se em uma grande teia de significações. O conhecimento é uma teia desse tipo. E uma imagem mais fecunda do que o mero encadeamento é a de conhecer como tecer, enredar significações.

Para explicitar a fecundidade da idéia de rede, examinaremos sucintamente algumas de suas características, que podem ser associadas tanto às redes em sentido literal (redes de computadores) quanto à rede como imagem do conhecimento. Tratam-se de palavras-chave, que participam da constituição da imagem da rede tal como as palavras pré-requisitos ou seriação participam da imagem da cadeia.

A primeira delas é o *acentrismo*. A teia de significados que representa o conhecimento não tem centro. Ou o centro pode estar em toda parte, o que equivale a afirmar a inexistência de um centro absoluto. A rede de significações tem centros de interesse. Nossa atenção é que elege centros, diretamente associados às circunstâncias que nos regulam, às relações que vivenciamos. Para tratar dos mais diversos conteúdos, dentro de cada disciplina ou em temas transdisciplinares, não existe algo como um ponto de partida necessário, nem um único caminho a ser seguido.

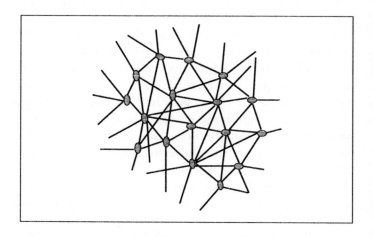

A força da imagem do encadeamento, da ordem necessária para a apresentação dos conteúdos, no entanto, é muito grande. Os livros didáticos, de modo geral, reforçam tal perspectiva, ao cristalizarem certos percursos, alimentando a impressão de uma ordem imutável. Daí a importância da imagem da rede no caminho para uma ruptura com essa aparência.

Outra característica importante das redes de significações é o fato de elas estarem em permanente estado de *atualização*. Continuamente, relações são incorporadas à rede, ou são abandonadas, por não refletirem mais articulações vivas entre os os objetos ou significações. Em outras palavras, a construção do conhecimento nunca é definitiva. Nunca se pode fundar em definições fechadas. A rede encontra-se em permanente estado de atualização. A metamorfose é a regra.

Tal característica, no entanto, não pode servir para desestruturar nossas crenças, ou mesmo relativizá-las de modo absoluto. O argumento básico em defesa da permanência dos significados é o fato de que as próprias transformações têm significado. As redes de significações não se metamorfoseiam aleatoriamente, ou como um caleidoscópio. Para apreender o sentido das transformações, o caminho é um só: é preciso estudar História. Ninguém pode ensinar qualquer conteúdo, das ciências às línguas, passando pela matemática, sem uma visão histórica de seu desenvolvimento. É na História que se podem perceber as razões que levaram tal ou qual relação, tal ou qual conceito, a serem constituídos, reforçados ou abandonados.

Um terceira característica das redes merece ser sublinhada. Trata-se da *heterogeneidade*. Os nós/significados são naturalmente heterogêneos, no sentido de que envolvem relações pertencentes a múltiplos conteúdos, a diversas disciplinas. As noções, os conceitos realmente relevantes sempre terminam por transbordar as fronteiras disciplinares. Certamente é possível tratá-los de modo disciplinar, mas sempre a custa de um empobrecimento em seu significado.

Consideremos, por exemplo, uma idéia como a de semelhança. Um professor de matemática pode ensiná-la tratando apenas de conteúdos matemáticos, ou mesmo restringindo-se ao estudo dos casos de semelhança de triângulos. Isso é possível e talvez até muito freqüente. No entanto, a noção de semelhança relaciona-se naturalmente com as de ampliação, redução, a fotografias, a maquetes, a mapas geográficos, ao estudo das proporções no corpo humano, etc. etc. etc. O recurso a apenas relações matemáticas na construção do significado de semelhança não é mortal; muitos de nós, professores, sobrevivemos a ele. Mas é sempre uma enorme simplificação, um estreitamento arbitrário na construção dos significados.

Outras características das redes poderiam ser mencionadas, mas vamos nos limitar às três já citadas: acentrismo, metamorfose e heterogeneidade. A imagem do conhecimento que se constrói de acordo com tais características é fundamentalmente distinta do encadeamento linear cartesiano, e a organização das ações docentes, como o planejamento ou a avaliação está diretamente associada à imagem subjacente.

Orientados pela imagem do balde, podemos limitar a ação de planejar à regulagem da vazão, na operação de enchimento do mesmo com os conteúdos disciplinares. Na perspectiva do encadeamento, importam decididamente os pré-requisitos, o estabelecimento da ordem correta - e necessária - para a apresentação dos temas. Já no caso da imagem da rede, o fundamental ao planejar é eleger os centros de interesse, o que depende essencialmente do contexto, das relações que são percebidas e vivenciadas pelos alunos e pelo professor.

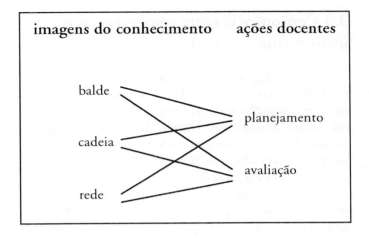

imagens do conhecimento    ações docentes

balde

cadeia                        planejamento

rede                          avaliação

A busca da sintonia entre a imagem que se elege, no nível do discurso, e o processo de avaliação que se busca implementar é condição fundamental para o sucesso do mesmo. De pouco adianta demonstrar entusiasmo, por exemplo, pela imagem da rede, mantendo-se rigidamente a concepção de avaliação como um processo de medição do nível do conhecimento. É imprescindível, para a sintonia, que sejam incorporadas nas práticas escolares as características correspondentes à concepção de rede, como o acentrismo, a metamorfose, a heterogeneidade. O que nos obriga a encarar de frente questões como a do planejamento baseado em centros de interesse, a da necessidade de atividades transdisciplinares, organizadas, por exemplo, em trabalhos com projetos, ou a concepção de instrumentos de avaliação inspirados muito mais nos indícios de competência do que na idéia de medida.

## 3.9 Consonância entre competências e instrumentos: espectro

Comentaremos agora o último dos sete desafios arrolados, qual seja, o da busca de uma consonância entre as competências a seremavaliadas e os instrumentos desenhados para tal. Trata-se de um prolongamento natural da análise anterior, onde o que estava em questão era a necessidade de sintonia entre a concepção de conhecimento e a idéia de avaliação.

Como já se afirmou anteriormente, o conhecimento deve justificar-se pela possibilidade de mobilização a serviço da inteligência, ou seja, a serviço das pessoas e de seus projetos. As competências pessoais representam formas de mobilização do conhecimento. A capacidade de expressão, por exemplo, tanto na língua materna quanto por meio de outras linguagens, incluindo-se a corporal, a musical ou a matemática, é um instrumento de mobilização do conhecimento. Não nos satisfazemos com afirmações do tipo: "sei tudo, mas não consigo me expressar". É importante saber expressar-se adequadamente. As competências também representam canais por meio dos quais aquilo que conhecemos tacitamente pode tornar-se explícito. E ainda que saibamos que nem tudo o que sabemos pode ser explicitado, a competência para fazê-lo tem um valor muito grande, tem um significado especialmente importante.

Ocorre, no entanto, que as competências não se manifestam de forma isolada. Ao projetarem as ações - e se projetarem por meio delas - as pessoas agem, interagem, valem ou deixam de valer em função do espectro de competências que lhes constituem. Cada um de nós é como um grande espectro, que inclui a competência lingüística, a lógico-matemática, a espacial, a corporal-cinestésica, a musical, a pictórica, a intra-pessoal, a inter-pessoal, entre outras que podem ser vislumbradas.

Um dos maiores obstáculos à redução do significado da avaliação ao de um processo de medida em sentido físico ou matemático decorre precisamente dessa caracterização de cada pessoa como um espectro indivisível de competências. Duas pessoas distintas constituem sempre dois espectros diferentes. E é vã toda a tentativa de medir espectros, de estabelecer escalas para a ordenação de pessoas. Duas pessoas sempre podem ser comparadas no que se refere a uma competência específica. Uma é mais competente musicalmente do que outra. Ou é melhor em matemática. Mas integralmente, enquanto pessoas, não há como situá-las em uma escala de valores numéricos. As pessoas são diferentes e não se pode reduzir diferenças a desigualdades. Isso é adequado para números reais. Se dois números reais são diferentes, certamente um é maior do que o outro. Mas no caso de duas pessoas, de dois projetos de vida, ou de duas culturas, é inaceitável a redução da diferença à desigualdade. Não podemos nos considerar premidos a decidir: Qual das duas culturas é maior? Qual das duas pessoas é menor? Dois espectros distintos são sempre incomensuráveis.

Para avaliar, então, é preciso ir além da medida, recorrendo a indicadores mais complexos, a indícios de competência. E dado que as competências são múltiplas e variadas, é praticamente impossível apreendê-las recorrendo a um só tipo de instrumento. Os instrumentos de avaliação funcionam como canais de apreensão/manifestação de competências. Eles também precisam ser múltiplos, variados, compondo um amplo espectro de formas. Um grande desafio para a construção de um sistema de avaliação pertinente é o discernimento na escolha das componentes de tal espectro de instrumentos.

Sem dúvida, provas são importantes instrumentos de avaliação. Em sua forma mais comum, que é a escrita, representam momentos em que se exige a demonstração da capacidade de explicitação do que se aprendeu, em espaço e tempo determinado. Em sua forma oral, menos freqüente nos dias atuais, são abertos outros canais de expressão e de apreensão de indícios reveladores do real conhecimento dos alunos. Quando são eliminadas as avaliações orais, em razão, muitas vezes, não de seu caráter indesejável, mas sim da impossibilidade de realizá-las, decorrente do grande número de alunos, outros instrumentos precisam ser criados visando ao mesmo fim. Nas provas orais, parcelas importantes de conhecimentos tácitos, ainda que não sejam diretamente expressos, sustentam aquilo que se consegue explicitar. Um olhar, um gesto, uma interjeição podem significar muito. Às vezes, podem revelar mais do que as próprias palavras.

Ainda no que se refere às provas, as modalidades com consulta e sem consulta são, ambas, importantes. Podem apreender diferentes formas de manifestação de competências. Há coisas na vida que temos que fazer sozinhos, isoladamente, sem recorrer a bancos de dados ou a outras pessoas. Mas há muitas outras tarefas que importa que desempenhemos bem, mas não importa se consultamos enciclopédias, manuais, internet, ou amigos mais sabidos. As duas formas de manifestação de competência - com e sem consulta - são valiosas e devem compor o espectro de instrumentos de avaliação.

Quanto aos trabalhos, diferentemente das provas, eles são especialmente importantes na medida em que possibilitam uma avaliação mais equilibrada entre o conteúdo e a forma, ou entre o processo de construção do conhecimento e o produto final obtido. O cuidado na apresentação pode ser altamente revelador tanto em sentido positivo quanto de modo negativo. Cores excessivas, ornamentos descabidos ou recursos tecnológicos sofisticados para atingir objetivos modestos são recursos comuns para disfarçar conteúdos pífios. Por outro lado, um excessivo despojamento, que beira o desleixo, também pode ser interpretado como indício de falta de interesse na comunicação com o outro. No uso da linguagem, tanto a lógica quanto a retórica são fundamentais, quando se visa à comunicação, ao entendimento, ao convencimento.

No confronto com as provas, nem sempre os trabalhos são suficientemente valorizados, sobretudo os que são realizados em grupo. Desses, diz-se, muitas vezes, que teriam seu valor comprometido em razão do fato de que alguns membros do grupo trabalham efetivamente, enquanto outros apenas copiam, ou pouco participam. Tais argumentos, no entanto, não são suficientes para diminuir a importância de atividades desse tipo. De fato, mesmo a cópia pura e simples pode ser uma forma de crescimento, de construção de andaimes para uma autonomia que se projeta. Houve tempo em que a cópia, o ditado, a tabuada faziam parte efetiva dos trabalhos escolares. Paulatinamente, foram sendo substituídos por atividades consideradas mais modernas. Não se trata, aqui, de defender explicitamente o retorno de tais instrumentos. Mas é importante identificar as competências que eles desenvolviam ou avaliavam, e é necessário prover o espectro de instrumentos de avaliação de meios para apreender e valorizar tais competências.

Um outro eixo que precisa ser considerado na composição do espectro de instrumentos é o do par avaliação contínua/avaliação concentrada. Longe de serem mutuamente exclusivas, as idéias de que é preciso avaliar continuamente, ao longo de todas as atividades que conduzem ao aprendizado, e de que é preciso avaliar de modo mais incisivo, ao final do percurso projetado, compõem um par complementar tão inextrincável quanto é o par processo/produto. Um sistema de avaliação que privilegie um dos elementos em detrimento do outro terá dificuldades em se estabelecer ou caminhará sempre como um coxo.

Muitas formas alternativas de instrumentos de avaliação podem ser imaginadas. Sobretudo no que se refere à incorporação da subjetividade como uma característica - e não como um defeito - dos processos de avaliação, e mais especificamente, no que tange à sensibilidade para captar e valorizar indícios, existe um espaço muito grande para se ousar. Sempre lembrando o poeta e conservando a alma grande, é preciso tornar o espectro de instrumentos o mais abrangente possível. Somente assim será possível minimizar o risco de a escola não ter olhos para ver tantas pessoas interessantes, que passam por ela sem serem percebidas como tal, restando apenas o consolo do registro a posteriori, nas biografias. A consonância entre os espectros de competências e de instrumentos é, realmente, um grande desafio.

## 3.10 Conclusão

Após o percurso ao longo dos sete desafios e dos sete motes, registramos uma observação final. Em primeiro lugar, por desnecessário que pareça a menção, temos a consciência de não termos abordado o tema sob todos os ângulos possíveis, bem como da inevitável superposição entre diversos subtemas. Assim, o "sete" do título pode ter o sentido de uma organização possível, entre outras, para as idéias apresentadas - além de uma pitada de provocação cabalística. Quem se dispuser a encontrar o oitavo ou o nono desafio, ou a reduzi-los a cinco ou seis, não se amofine em razão disso.

Em segundo lugar, ao associar a cada desafio uma palavra-chave, um mote, procuramos introduzir - ou sublinhar - no discurso sobre a avaliação educacional, algumas palavras que têm estado ausente do mesmo, ou cuja presença tem sido excessivamente tímida. Indícios, pessoalidade (subjetividade), projetos, tolerância, integridade, rede, espectro são palavras importantes para fecundar o terreno da avaliação. Sobre elas, aqui, pouco se disse. Nesse sentido é que são como motes para serem desenvolvidos, tal como os cancioneiros populares nordestinos o fazem a partir de uma simples palavra. Mas é preciso levá-las a sério, perscrutá-las, criar a partir delas.

Particularmente importante é a palavra-mote *indício*. O transbordamento da idéia de medida em sentido físico ou matemático conduz naturalmente à busca de indicadores, ainda numéricos mas menos ambiciosos do que as medidas. Os indícios situam-se nessa trajetória. Nos últimos anos, a economia deu passos importantes nesse sentido, ao passar do Produto Interno Bruto (PIB) para o Indíce de Desenvolvimento Humano (IDH) como indicador do nível de desenvolvimento de determinado país. Em vez de considerar-se apenas a razão entre a totalidade da riqueza produzida (PIB) e a população do país, o que conduz ao PIB per capita, como indicador da qualidade de vida, passou-se a considerar um indicador mais expressivo, o IDH, que incorpora a esperança de vida e os índices de analfabetismo, além do PIB. O resultado da criação de tal novo indicador foi uma reclassificação substantiva dos países, com uma maior aproximação da situação realmente vigente. Afinal, o PIB total do mundo - cerca de 30 trilhões de dólares - dividido pela população mundial - cerca de 6 bilhões de habitantes - conduz a um PIB per capita de cerca de 5 000 dólares/ano, ordem de grandeza do correspondente brasileiro. Tal índice, no entanto, pouco expressa relativamente ao fato de que a riqueza das 200 (duzentas unidades!) pessoas mais ricas do mundo equivale ao PIB dos 48 países mais pobres, em um universo de cerca de 180 países. Ou sobre o fato de que metade da população do planeta vive com menos de 2 dólares por dia.

Certamente, o IDH é mais expressivo do que o PIB, abrindo portas para a incorporação de novas componentes indicadoras do real desenvolvimento dos países. A fecundidade de tal ampliação pode ser estimada pelo fato de que os trabalhos sobre o tema, realizados por Amartya Sen, um economista indiano relativamente pouco conhecido, contribuíram decisivamente para que ele recebesse, em 1998, o Prêmio Nobel de Economia.

No terreno da avaliação educacional, estamos carecendo de ousadia para a criação de novos indicadores. Se as reflexões precedentes tiverem chamado a atenção apenas para esse fato, já não terão sido em vão.

# Interdisciplinaridade e contextuação*

## Introdução: a escola e as disciplinas

Em sua forma paradigmática, a organização do trabalho escolar nos diversos níveis de ensino baseia-se na constituição de disciplinas, que se estruturam de modo relativamente independente, com um mínimo de interação intencional e institucionalizada. Tais disciplinas passam a constituir verdadeiros canais de comunicação entre a escola e a realidade, a tal ponto que, quando ocorrem reformulações ou atualizações curriculares, a ausência de novas disciplinas ou de alterações substantivas nos conteúdos das que já existem é, freqüentemente, interpretada como indício de parcas mudanças.

De modo análogo, amparadas em argumentos que acolhem de maneira às vezes acrítica a necessidade presumida de sintonia escola-vida, surgem de quando em quando no cenário escolar novas disciplinas - ou pseudo-disciplinas - como Educação Sexual, Educação Moral e Cívica, Matemática Financeira, Estudo de Problemas Brasileiros, Resolução de Problemas, Construções Geométricas, entre outras, quase sempre desprovidas dos elementos mínimos que garantem a um assunto o estatuto e a dignidade disciplinar. Nestes casos, a despeito da eventual relevância dos temas considerados, tão logo ocorre um distanciamento mínimo das circunstâncias geradoras da aparência de necessidade, desfaz-se o brilho fugaz de alguns de tais simulacros, deslocando-se as pretensões disciplinares para outros temas mais candentes em contextos emergentes.

## 4.1 Interdisciplinaridade: consenso

Já há algum tempo, no entanto, *interdisciplinaridade* tem sido uma palavra-chave na discussão da forma de organização do trabalho escolar ou acadêmico. Dois fatos parecem estar diretamente relacionados com tal emergência.

Em primeiro lugar, uma fragmentação crescente dos objetos do conhecimento nas diversas áreas, sem a contra-partida do incremento de uma visão de conjunto do saber instituído tem-se revelado crescentemente desorientadora, conduzindo certas especializações a um fechamento no discurso que constitui um óbice na comunicação e na ação.

Em segundo lugar, parece cada vez mais difícil o enquadramento de fenômenos que ocorrem fora da escola no âmbito de uma única disciplina. Hoje, a Física e a Química esmiúçam a estrutura da matéria; a entropia é um conceito fundamental na Termodinâmica, na Biologia e na Matemática da Comunicação; a Língua e a Matemática entrelaçam-se nos jornais diários; a propaganda evidencia a flexibilidade das fronteiras entre a Psicologia e a Sociologia, para citar apenas alguns exemplos.

Em conseqüência, a idéia de interdisciplinaridade tende a transformar-se em bandeira aglutinadora na busca de uma visão sintética, de uma reconstrução da unidade perdida, da interação e da complementaridade nas ações envolvendo diferentes disciplinas.

## 4.2 Interdisciplinaridade: obstáculos

Este aparente consenso não deve, no entanto, minimizar certas dificuldades renitentes na abordagem da interdisciplinaridade e que podem explicar em parte resultados tão pouco expressivos nas ações docentes, mesmo originados em grupos que se debruçaram seriamente sobre o tema. Roland Barthes, em *O Rumor da Língua* (1988), apreendeu com muita perspicácia algumas dessas dificuldades, ao afirmar:

> *O interdisciplinar de que tanto se fala não está em confrontar disciplinas já constituídas das quais, na realidade, nenhuma consente em abandonar-se. Para se fazer interdisciplinaridade, não basta tomar um "assunto" (um tema) e convocar em torno duas ou três ciências. A interdisciplinaridade consiste em criar um objeto novo que não pertença a ninguém. O Texto é, creio eu, um desses objetos." (p.99)*

De fato, o confrontamento de docentes que não consentem em abandonar seus objetos e pontos de vista, ou a fixação de um tema gerador em torno do qual borboletearão as diversas disciplinas pode ser a caracterização mais freqüente, ainda que simplificada, das tentativas de implementação de ações interdisciplinares, e isso parece claramente insuficiente. A solidariedade e as concessões necessárias para a constituição de um novo objeto ainda não são bastantes.

Por outro lado, também é muito freqüente o fato de que tão logo dois temas estabelecem um mínimo de relações fecundas e promissoras, na própria ante-sala de um trabalho interdisciplinar surge a pretensão de erigir uma nova disciplina, uma nova área do conhecimento, uma nova "ciência", o que passa a consumir esforços e energias dos "militantes", engajados na tarefa de estatuir a natureza do novo campo, de caracterizar seu espaço de atuação. Por paradoxal que pareça, nestes casos, em vez de a aproximação entre os dois temas favorecer a interdisciplinaridade, geralmente dificulta-a. É possível mesmo que conduza mais facilmente à negação dos interesses comuns, como um recurso para a auto-afirmação do que poderá vir a ser uma nova "disciplina", do que a uma colaboraçãoo pura e simples. Exemplos de tais situações estão presentes em maior ou menor grau na criação de áreas disciplinares como Psicopedagogia, Psicossociologia ou ainda, na confluência de dois temas fundamentais como Ética e Biologia (Bioética), ou Educação e Matemática (Educação Matemática).

## 4.3 Interdisciplinaridade: sistemas filosóficos

Parece-nos, no entanto, que uma questão central, especialmente relevante, tem permanecido ao largo ou sido insuficientemente explorada quando se analisa a interdisciplinaridade: trata-se do fato de que toda organização disciplinar é resultante de uma reflexão mais abrangente, de natureza epistemológica, no interior de um sistema filosófico que prefigura, em grandes linhas, o tom e a cor de cada componente.

Nenhum filósofo que tenha efetivamente considerado a questão do conhecimento em sentido amplo, das formulações teóricas às ações educacionais mais incisivas, logrou escapar de algum tipo de classificação das ciências. Isoladamente, cada disciplina expressa relativamente pouco e é de interesse apenas de especialistas; no corpo sintético de uma classificação, amparadas em ordenações e posições relativas, expressam seguramente muito mais. Para explicitar este fato, bastaria considerar o significado da Matemática no seio do Trivium (Lógica, Gramática, Retórica) e do Quadrivium (Aritmética, Geometria, Astronomia, Música), na formação do homem grego, ou sua insipidez na maior parte dos currículos atuais.

Ainda que tal fato pareça consensual, a parcimônia com a interdependência disciplina/sistema tem sido tratada sugere a necessidade de uma exploração um pouco mais detida.

## 4.4 A ordenação comteana

Consideremos, por exemplo, a concepção comteana da ordenação das Ciências (COMTE, 1844). Em tal sistema (positivista), as seis ciências fundamentais seriam a Matemática, a Astronomia, a Física, a Química, a Biologia e a Sociologia. Nas palavras de Comte,

> a primeira necessariamente o ponto de partida exclusivo e a última o fim único e essencial.

119

Ainda segundo Comte,

> *o conjunto desta fórmula enciclopédica, exatamente conforme as verdadeiras afinidades dos estudos correspondentes,... permite enfim a cada inteligência renovar à sua vontade a história geral do espírito positivo, ao passar, de modo quase insensível, das mais insignificantes idéias matemáticas aos mais altos pensamentos sociais.*

Naturalmente, ao privilegiar o papel da Matemática do modo como o faz, tal concepção determina em grande parte a natureza das relações que podem ser estabelecidas entre esta disciplina e as demais, na estruturação curricular, delimitando as possibilidades de um trabalho interdisciplinar.

Apesar de ter sido ultrapassada rapidamente pelo próprio desenvolvimento das ciências constituídas, ocorrido ou prenunciado no final do século XIX, a classificação comteana permanece sendo um referencial importante pelo menos por dois motivos: além de ser um exemplo bastante nítido do modo como a ordenação e a valorização das disciplinas são tributárias de um sistema filosófico, o esquema comteano é a fonte básica de inspiração, ao que tudo indica, da classificação proposta por Piaget, cujo pensamento permanece vigoroso e influente, ao apresentar seu Círculo das Ciências (PIAGET, 1978).

## 4.5 O círculo piagetiano

Na apresentação de sua *Epistemologia Genética*, Piaget pretende fundar uma teoria do conhecimento cient¡fico que conduza, parafraseando Comte, "das mais elementares atividades psicofisiológicas do sujeito ao mais altos pensamentos científicos". Considera, então, os principais ramos da ciência constituindo uma série não-linear, cíclica, fechada sobre si mesma. No entanto, há um ponto de partida, e este é, sintomaticamente, a Matemática e a Lógica, que Piaget tem como inextricavelmente ligadas. Seguem-se a Física, a Biologia, e por último, a Psicologia Experimental e a Sociologia, que são unificadas com o nome de Psico-Sociologia. A partir daí, um grande aparato conceitual é arquitetado, tendo em vista a justificação do encadeamento circular, explicitando-se o modo como a Física se reduziria à Matemática, a Biologia à Física, a Psico-Sociologia à Biologia, e centrando as baterias nas relações mútuas entre a Psico-Sociologia e a Matemática, o que conduziria ao fechamento do Círculo.

Não obstante o fato de o Círculo piagetiano ter características mais plausíveis do que as da hierarquia comteana, ele apenas disfarça a linearidade que pretendia ultrapassar. E o privilegiamento de uma particular concepção de Matemática, situada inteiramente no âmbito dos objetos e procedimentos da Lógica Formal, sinaliza no sentido de certo tipo de articulação disciplinar, muito mais próxima da de Comte do que, por exemplo, da que resulta da imagem cartesiana da árvore do Conhecimento.

## 4.6 A árvore cartesiana

Descartes, como se sabe, concebia alegoricamente o conhecimento como uma grande árvore, com as raízes na Metafísica (englobando o pensamento religioso), tendo como tronco a Física (ou seja, a Filosofia Natural), e sendo formada por múltiplos ramos, como a Astronomia, a Medicina, etc. A Matemática não era considerada um dos ramos do conhecimento, mas a condição de possibilidade do conhecimento, em qualquer ramo, como a seiva que percorre e alimenta todo o organismo representado. À Língua, não era atribuído qualquer papel de relevo na árvore do conhecimento.

Sem dúvida, trata-se de uma função vital, excepcionalmente privilegiada, a que é atribuída à Matemática na concepção cartesiana; no entanto, tal privilegiamento difere significativamente do que corresponde à cadeia linear comteana ou ao círculo piagetiano, na medida em que, por exemplo, a Matemática não se caracteriza como um conteúdo em si mesmo. Ainda que "aplicável" aos diversos temas, o é como um sistema de representação, com caracteristicas de uma linguagem especial.

Uma tal concepção conduz, naturalmente, ao estabelecimento de diferentes relações interdisciplinares, onde a Matemática não disputa o espaço curricular com as outras disciplinas, mas se pretende instaurar como a linguagem do conhecimento, contrapondo, supostamente, caracteristicas como clareza, precisão, monossemia à sinuosidade, à ambiguidade, e à pretensa falta de rigor associadas à língua corrente.

A despeito do caráter premonitório de muitas de suas concepções, pode-se associar a Descartes uma simplificação exagerada na compreensão das funções da língua corrente, em razão, talvez, do equacionamento equivocado das relações entre a língua e a Matemática. É possível conjecturar-se, talvez, sobre o fato de que Piaget teria padecido do mesmo mal.

# 4.7 Contrapontos a Descartes

O pensamento cartesiano teve grande influência no desenvolvimento científico e de um modo geral na cultura ocidental, permanecendo como uma referência fundamental em qualquer mapeamento que se intente. Não obstante, nem de longe sua estruturação das ciências pontificou isoladamente. Já no século XVIII, obras como as de Vico ou Condillac apontam em direções significativamente distintas, sobretudo no que se refere à compreensão da importância da língua.

No mesmo sentido, destaque-se ainda o monumental trabalho dos enciclopedistas franceses, corporificado da *Enciclopédia,* ou *Dicionário Raciocinado das Ciências, das Artes e dos Ofícios por uma Sociedade de Letrados.* Em seu *Discurso Preliminar*, redigido por D'Alembert e Diderot, a *Enciclopédia* considera o Entendimento contituído por três grandes raízes - Memória, Razão e Imaginação -, situando no cerne de cada uma delas uma disciplina básica: História, Filosofia e Poesia, respectivamente. Em tal esquematização, a Lógica ocupa uma posição de destaque, englobando as funções da língua, enquanto a Matemática situa-se bem mais discretamente, no terreno das ciências naturais.

Em decorrência, em uma configuração curricular derivada de tal sistema, as possibilidades de um trabalho interdisciplinar parecem amplificadas, não tanto pelo valor intrínseco das relações estabelecidas quanto pelo abandono de certas configurações disciplinares, com características de verdadeiros preconceitos.

## 4.8 Síntese provisória: disciplinas x sistemas

Não é o caso de alongarmos esta digressão mais do que já o fizemos, sobre diferentes sistematizações da totalidade do conhecimento; também não é o caso, naturalmente, de proceder-se a uma escolha do sistema mais interessante, segundo o critério X ou o critério Y. A finalidade única do que foi exposto esgota-se na tentativa de explicitação do fato inicialmente referido: o significado curricular de cada disciplina não pode resultar de uma apreciação isolada de seu conteúdo mas sim do modo como se articulam as disciplinas em seu conjunto; tal articulação é sempre tributária de uma sistematização filosófica mais abrangente, cujos princípios norteadores é necessário reconhecer.

A possibilidade de um trabalho interdisciplinar fecundo depende de tal reconhecimento, especialmente no que se refere à própria concepção de conhecimento, bem como de uma visão geral do modo pelo qual as disciplinas se articulam, internamente e entre si.

No cenário atual, a utilização cada vez mais intensiva das tecnologias informáticas no terreno educacional situa no centro das atenções a necessidade de buscar-se novas formas de organização do trabalho escolar. A idéia de rede cresce continuamente em importância, tanto em sentido literal, associada às redes de computadores, como a Internet, quanto em sentido figurado, como imagem para representar o conhecimento. Certamente, hoje, tácita ou explicitamente, as redes configuram uma moldura sem a qual não se pode compreender como se conhece, não se pode conhecer o conhecimento. Pode não se tratar exatamente do núcleo de um novo "sistema filosófico", mas a influência das redes encontra-se em toda parte e a própria idéia de interdisciplinaridade encontra-se diretamente associada a tal idéia. Comentaremos brevemente esses pontos, no que se segue.

## 4.9 Conhecimento: construtibilidade

O debate em torno da concepção de conhecimento, da natureza dos processos cognitivos, em busca de uma orientação para a prática docente, apesar de fundamental para a emergência de uma trabalho interdisciplinar, tem-se concentrado, nas últimas décadas, em um ponto ilusoriamente importante: a questão da construtibilidade.

De fato, o deslocamento das atenções de um eixo, onde se destacavam as idéias de consciência como um balde vazio a ser preenchido ou como um holofote a focalizar o tema em exame, para outro, onde ocupa posição de relevo a contraposição entre a existência de elementos inatos ou a total construtibilidade do conhecimento, foi fecundo e ainda permanece alimentando interessantes pesquisas.

Neste sentido, o debate entre o construtivismo de Piaget e o inatismo de Chomsky, organizado pelo "Centre Royaumont pour une science de l'homme" (1975) e competentemente transformado em livro por Piatelli-Palmarini (1983), teve grande importância teórica, podendo, no entanto, ser interpretado como um indício de que todos, incluindo-se Chomsky, são construtivistas. De fato, a idéia de que o conhecimento é algo que se constrói, sobretudo a partir do que as crianças já sabem, é de uma banalidade tal que não mereceria maiores comentários, se não fosse, como costuma ser, repetida tantas vezes, com seriedade e circunspecção, como se se tratasse do registro de algo absolutamente novo e alvissareiro.

A questão fundamental do debate supra referido não era essa, mas sim a da existência ou não, na ontogênese do conhecimento, de uma estrutura inicial inata; Chomsky diria que sim, enquanto Piaget nega peremptoriamente a existência de tais estruturas, estabelecendo que inato seria apenas o "funcionamento geral da inteligência". A partir daí, ambos concordam em que, por diferentes percursos, o conhecimento deve ser construído por meio das ações e das interações com o meio. Naturalmente, não se pode pretender identificar as posições de Piaget e Chomsky: enquanto o primeiro postula certo isomorfismo entre a estruturação das ações e a estruturação do raciocínio lógico dos indivíduos, o segundo atribui às ações o papel de "chave de ignição" dos processos cognitivos. Para Chomsky, portanto, as ações/interações são fundamentais para "dar a partida", mas tal como inexistem semelhanças estruturais entre o motor de partida e o motor à explosão, em um automóvel, não existiria qualquer relação analógica entre a estruturação das ações e os processos mentais.

Em parte em razão do debate citado, hoje não parecem existir mais não-construtivistas. E como a ausência de sombra também pode dificultar a visão, diminuiu bastante a nitidez na caracterização do construtivismo em seus inúmeros matizes.

Insistimos, no entanto, em que a construtibilidade ou não não é mais a questão a ser discutida: o modo como o conhecimento se constrói é a verdadeira questão.

E a palavra-chave para uma reflexão conseqüente sobre a tal tema é o encadeamento, ou a linearidade.

## 4.10 Conhecimento: imagens

A concepção de conhecimento costuma estar associada, implícita ou explicitamente, a uma imagem metafórica que, em grande parte, determina o papel das disciplinas e organiza as ações docentes, como o planejamento, a avaliação.

Em um tempo que já vai bem longe, a produção conhecimento esteve associada à imagem de "encher um balde". Os alunos seriam como recipientes vazios e aos professores caberia o papel de "dar a matéria" e "encher o balde". Hoje, não existem mais defensores dessa imagem simplória, ainda que, muitas vezes, as ações docentes permaneçam tributárias da mesma. Apenas para ilustrar: a concepção da avaliação como um processo de medida em sentido físico ou matemático é inteiramente compatível com a imagem do enchimento do balde, embora não faça o menor sentido em um contexto de construção do conhecimento.

De modo geral, a imagem dominante para a contrução do conhecimento está associada às idéias cartesianas apresentadas em 1637 no livro *Discurso do Método*. Nesse trabalho, que viria a influenciar profundamente todo o pensamento ocidental, Descartes propõe que, diante de uma grande dificuldade, em termos cognitivos, deve-se decompô-la, subdividi-la em partes cada vez mais "simples", até chegar-se a "idéias claras e distintas". Depois da fragmentação, para reconstituir o objeto de estudo, o caminho é o encadeamento lógico, do simples para o complexo, articulando-se as partes por meio de esquemas do tipo "se A, então B", "se B, então C", e assim por diante.

Conhecer estaria associado, então, a encadear, e a cadeia é a imagem forte para o conhecimento que predominará no cenário ocidental, sendo inclusive "exportada" do universo da Ciência para o do trabalho, quando o taylorismo, e posteriormente, o fordismo aí se instalaram. Palavras-chave que decorrem dessa imagem são: ordem necessária para os estudos, pré-requisitos, seriação, ordenação ou encadeamento linear. Tais idéias permanecem dominantes no cenário educacional em seus diversos níveis, e o modo excessivamente rígido com que, às vezes, são consideradas, encontra-se na raiz de grande parte dos números desconfortáveis associados à repetência ou à evasão escolar. Não se chega a considerá-las o que de fato são: meras componentes de uma imagem, entre outras.

## 4.11 Conhecimento: linearidade

De um modo geral, a organização linear perpassa o conjunto das disciplinas escolares, embora seja especialmente aguda no caso da Matemática. Aqui, talvez em conseqüência de uma associação direta entre a linearidade e o formalismo, entendido como a organização dos conteúdos curriculares sob a forma explícita ou disfarçada de teorias formais, parece certo e indiscutível que existe uma ordem necessária para a apresentação dos diversos assuntos, sendo a ruptura da cadeia fatal para a aprendizagem.

A característica mais marcante de tal organização é a fixação de uma cadeia linear de marcos temáticos que devem ser percorridos seqüencialmente, expressando passos necessários no caminho do que se julga mais simples até o mais complexo. Se a cadeia for, digamos, A -> B -> F -> G -> X -> S -> D -> ... , então a não abordagem do tema G impossibilitaria o tratamento do tema X, retendo-se o aluno no ponto G até que o mesmo seja aprendido. Apesar de multiplicarem-se os exemplos de casos em que, por exemplo, o conhecimento de S favoreceu o conhecimento de X, ou de que o conhecimento de X é possível sem o perfeito conhecimento de G, a linearidade, como um dogma, nunca parece ser posta em questão.

Existem, obviamente, etapas necessárias a serem cumpridas antes que outras advenham: por exemplo, não se poder ensinar os algoritmos usuais das operações básicas a quem ainda não aprendeu a representar os números no sistema de numeração posicional. Entretanto, limitações deste tipo são excessivamente óbvias e claramente insuficientes para condicionar tão fortemente os programas, já aprisionados nas costumeiras seriações. Por exemplo, o fato de na quase totalidade dos livros didáticos a demonstração do Teorema de Pitágoras utilizar-se da noção de Semelhança de Triângulos não significa, como se poderia pretender, que tal noção deve ser ensinada antes da apresentação do referido teorema. Na verdade, a própria noção de Semelhança pode ser apresentada ou motivada a partir do Teorema de Pitágoras, cuja demonstração pode ser apresentada de múltiplas formas, praticamente sem pré-requisitos formais.

Quando se planeja o trabalho anual nas diversas disciplinas, é muito difícil escapar-se de determinações resultantes da pressuposição existência de uma ordem linear necessária para a apresentação dos conteúdos, tanto no interior de cada disciplina quanto no estabelecimento de relações entre as diferentes disciplinas. É celebre uma querela deste tipo no relacionamento entre a Física e a Matemática nos vários níveis de ensino: sem ter estudado funções, não se poderia estudar cinemática; sem saber o que é derivada, não se poderia compreender a idéia de velocidade ou de reta tangente; sem a integral, não se poderia calcular áreas,... etc. Afirmações como essas constituem sempre meias-verdades - ou meias-mentiras. Com igual pertinência, poder-se-ia afirmar, dependendo do contexto, que nunca compreenderá o significado da integral quem não souber calcular áreas (ainda que de retângulos), nunca saberá o que é derivada quem não conhecer a noção de rapidez, de taxa de variação, ou de velocidade (ainda que constante). No caso específico das relações entre a Matemática e a Física, a questão da precedência do que deve ser ensinado assemelha-se bastante a uma outra de mesma estirpe que se pode formular com relação ao par ovo-galinha.

Na verdade, é necessário refletir com mais vagar sobre tais ordenações, examinando criticamente sua contingência ou seu caráter necessário, que parece estar restrito a situações não muito numerosas, nem de longe justificando a rigidez das seriações e das retenções que são juradas em seu nome.

Uma concepção de conhecimento em que tais cadeias lineares sejam substituídas, tanto nas relações interdisciplinares quanto no interior das diversas disciplinas, pela imagem metafórica de uma rede, de uma teia de significações, poderia, a nosso ver, contribuir decisivamente para a viabilização do necessário trabalho interdisciplinar.

# 4.12 Conhecimento: a imagem da rede

Esta nos parece ser a chave para a emergência, na escola ou na pesquisa, de um trabalho verdadeiramente interdisciplinar: a idéia de que conhecer é cada vez mais conhecer o significado, de que o significado de A constrói-se por meio das múltiplas relações que podem ser estabelecidas entre A e B, C, D, E, X, T, G, K, W, etc, estejam ou não as fontes de relações no âmbito da disciplina que se estuda. Insistimos: não se pode pretender conhecer A para, então, poder-se conhecer B ou C, ou X, ou Z, mas o conhecimento de A, a construção do significado de A faz-se a partir das relações que podem ser estabelecidas entre A e B, C, X, G,... e o resto do mundo.

Para que a imagem do conhecimento como uma rede de significações, apenas esboçada acima, possa ser mais aproximada de ações docentes como planejar ou avaliar, sublinharemos mais detidamente algumas características da referida imagem.

O **acentrismo** é uma de suas características fundadoras: em outras palavras, redes de significações não têm um centro. Na verdade, as próprias redes informáticas, quando foram criadas, há cerca de 30 anos, visavam à construção de um sistema acentrado, onde as informações pudessem circular entre os diversos "nós" sem a necessidade de uma irradiação central. Como imagem para a representação do conhecimento, por mais desconcertante que pareça a um olhar cartesiano, a rede de significados não tem centro, ou tem múltiplos centros ... de interesse. Dependendo dos olhares e dos contextos, o centro pode estar em qualquer parte. Não são centros endógenos, mas centros de interesse. Ainda que os livros didáticos, muitas vezes, cristalizem certos percursos, certos focos de atenção, é possível "entrar na rede" de significações que representa (e é representada) pelo conhecimento por múltiplas portas, com diferentes características. É o professor, juntamente com seus alunos, com suas circuntâncias, que elege ou reconhece o centro de interesses e o transforma em instrumento para enredar na teia maior de significações relevantes.

A **metamorfose,** ou o permanente estado de atualização, é outra característica fundamental das redes. Um significado nunca está definitivamente construído. O feixe de relações que o constitui transforma-se continuamente, incorporando novas relações ou depurando-se de outras, que se tornam menos expressivas. O significado dos logaritmos, por exemplo, transformou-se substancialmente do século XVII até os dias de hoje. Relações fundadoras, como a da simplificação nos cálculos, perderam importância, ascendendo outras, como as que se referem ao estudo de fenômenos que envolvem crescimento ou decrescimento "exponencial", como fenômenos radioativos, ou relativos ao crescimento de populações. Não se trata, no entanto, de uma transformação aleatória, ou caleidoscópica. Algum sentido pode ser associado às mudanças, e para isso é fundamental o recurso à História. A metamorfose, como uma característica das redes de significações, constitui um argumento decisivo para destacar a importância da História para o ensino de qualquer tema, tanto a História em sentido pleno quanto a história da disciplina que se pretende ensinar.

Destaquemos agora a **heterogeneidade**, uma característica das redes diretamente associada à idéia de interdisciplinaridade. De fato, os nós/significações que compõem a rede são constituídos por relações heterogêneas, quando se pensa na natureza disciplinar das mesmas. Cada feixe envolve naturalmente relações que se situam no âmbito de diferentes disciplinas. Quase nada de relevante, que não seja de interesse apenas de "especialistas" em sentido estrito, pode ser estudado sem a compreensão do caráter essencial dessa heterogeneidade. Claro que um professor de matemática, por exemplo, pode construir a idéia de semelhança restringindo-se apenas ao estudo dos casos de semelhança de triângulos, no âmbito apenas da matemática. Isso, no entanto, sempre constituirá uma simplificação que acarreta um empobrecimento no significado que se constrói. A idéia de semelhança pode ser diretamente associada a temas como Geografia (construção de escalas e mapas), Biologia (proporções no corpo humano nas diversas fases da vida), Fotografia (ampliações ou reduções), entre outros. Considerando-se a função primordial da educação básica, que é a construção da cidadania, raros são os conceitos realmente significativos que não envolvem naturalmente relações referentes a diversas disciplinas. A imagem da rede constitui, portanto, um permanente convite à exploração das possibilidades que tal característica sublinha.

## 4.13 A rede e as disciplinas

De modo algum a concepção do conhecimento como uma rede de significações implica a eliminação ou mesmo a diminuição da importância das disciplinas. Na construção do conhecimento, sempre serão necessários disciplina, ordenação, procedimentos algorítmicos, ainda que tais elementos não bastem, isoladamente ou em conjunto, para compor uma imagem adequada dos processos cognitivos.

Afirmar-se, no entanto, que os procedimentos algorítmicos não esgotam os processos cognitivos não significa que tais procedimentos possam ser dispensados: seguramente não o podem. Numa analogia com os relacionamentos funcionais no estudo dos fenômenos naturais, é tão verdadeiro que nem todos os fenômenos podem ser expressos por funções lineares quanto o é que nenhum fenômeno pode ser funcionalmente descrito sem referência aos processos lineares. Tal referência pode se dar com o instrumental do Cálculo Diferencial; mediata ou imediatamente, no entanto, as funções lineares estarão presentes.

No que tange às disciplinas, por mais que se pretenda valorizar a imagem alegórica da teia de significações, a ser desenvolvida de modo contínuo e permanente a partir da proto-teia com que todos aportamos à escola, sempre será necessário um mapeamento para ordenar e orientar os caminhos a seguir, sobre a teia. Literal e metaforicamente, para navegar na rede é preciso ter-se um projeto, ter-se um rumo e um mapa na mão. O quadro de disciplinas desempenha sempre o papel de um mapeamento da rede.

A rede, portanto, não subestima o papel das disciplinas e, em múltiplos sentidos, a escola será sempre um espaço propício ao trabalho disciplinar. Entretanto, as tentativas de equacionamento do referido trabalho têm-se concentrado exclusivamente em uma de suas duas e imprescindíveis dimensões: o eixo multidisciplinar/interdisciplinar. A outra dimensão, o eixo intradisciplinar/transdisciplinar, tem sido rotineiramente subestimada ou esquecida. Registremos aqui, sucintamente, algumas considerações a respeito.

## 4.14 Interdisciplinaridade/transdisciplinaridade

De modo geral, o trabalho na escola é naturalmente multidisciplinar, no sentido de que faz apelo ao contributo de diferentes disciplinas. Na multidisciplinaridade, no entanto, os objetivos próprios de cada disciplina são preservados, conservando-se sua autonomia, seus objetos particulares, sendo tênues as articulações entre as mesmas.

Conforme afirmamos inicialmente, a interdisciplinaridade é hoje uma palavra-chave para a organização escolar. O que se busca com isso é, de modo geral, o estabelecimento de uma intercomunicação efetiva entre as disciplinas, por meio do enriquecimento das relações entre elas. Almeja-se, no limite, a composição de um objeto comum, por meio dos objetos particulares de cada uma das disciplinas componentes.

No eixo multi/interdisciplinar, as unidades disciplinares são, portanto, mantidas, tanto no que se refere aos métodos quanto aos objetos, sendo a horizontalidade a característica básica das relações estabelecidas.

Já no eixo intra/transdisciplinar, a característica básica das relações estabelecidas é a verticalidade. Na intradisciplinaridade, as progressivas particularizações do objeto de uma disciplina dão origem a uma ou mais subdisciplinas, que não chegam verdadeiramente a deter uma autonomia nem no que se refere ao método nem quanto ao objeto. No caso da transdisciplinaridade, a constituição de um novo objeto dá-se em um movimento ascendente, de generalização. Um exemplo típico é o da Educação, um tema naturalmente transdisciplinar.

Assim, muito do que se pretende instaurar na escola sob o rótulo da interdisciplinaridade, poderia situar-se de modo mais pertinente sob o signo da transdisciplinaridade. O que se busca, efetivamente, é uma ampliação nos objetos e nos objetivos dos estudos, em um movimento de complementação e compensação da progressiva fragmentação a que o desenvolvimento da Ciência tem sistematicamente conduzido. A transformação dos objetos mais abrangentes em meros conteúdos de novas macrodisciplinas pode ser um caminho que conduz a parte alguma: o que verdadeitamente importa é o deslocamento das atenções das disciplinas para as pessoas. É o que comentaremos a seguir.

## 4.15 Transdisciplinaridade: pessoas

No cerne da idéia de transdisciplinaridade está o fato de que, na organização do trabalho escolar, as pessoas, e não os objetos ou os objetivos disciplinares deveriam estar no centro das atenções. É preciso ir além das disciplinas, situando o conhecimento a serviço dos projetos das pessoas. A função precípua da escola básica é a formação da cidadania e não a formação de especialistas em qualquer das disciplinas. Um professor de Matemática, por exemplo, que busca interessar um aluno pela sua matéria argumentando em termos da beleza intrínseca do tema, de sua exatidão, de seu rigor, da sofisticação de seus raciocínios, pode estar despertando esporadicamente uma ou outra vocação, mas, de modo geral, não age de modo plenamente adequado. Os alunos precisam ser estimulados para estudar a matéria em função de seus interesses, de seus projetos. Ainda que deva buscar convencer a todos sobre a importância de se estudar Matemática, os argumentos precisam considerar a diversidade de interesses e de perspectivas. Para um aluno que quer ser engenheiro, os argumentos são de determinada ordem; para outro, que quer ser jornalista, a motivação pela Matemática, ainda que igualmente forte, deve ser de outra natureza. Mesmo um aluno que deseja ser, digamos, um poeta, pode ser adequadamente estimulado a estudar Matemática, mas certamente com argumentos diferentes dos utilizados com o futuro engenheiro.

Na escola básica, portanto, nenhum conhecimento deveria justificar-se como um fim em si mesmo: as pessoas é que contam, com seus anseios, com a diversidade de seus projetos. E assim como um dado nunca se transforma em informação se não houver uma pessoa que se interesse por ele, que o interprete e lhe atribua um significado, todo o conhecimento do mundo não vale um tostão furado, se não estiver a serviço da inteligência, ou seja, dos projetos das pessoas.

Naturalmente, tal afirmação não estabelece qualquer subordinação do conhecimento a uma aplicabilidade prática: a construção do conhecimento está relacionada à produção e à compreensão de significados muito mais do que à mera produção de bens materiais. Também não é o caso de se associar a linha direta entre os conhecimentos e os interesses das pessoas a uma superestimação do individualismo. A vacina contra isso é a idéia subjacente de que a finalidade precípua da Educação é a construção da cidadania, entendida como a construção de uma articulação permanente e consistente entre projetos individuais e coletivos.

# 4.16 Conhecimento: a dimensão tácita

O conhecimento apresenta outra característica importante, que põe em evidência sua ligação direta com as experiências pessoais: trata-se da imanência de sua dimensão tácita.

De fato, cada um de nós sempre sabe muito mais sobre qualquer tema do que consegue explicitar em palavras. Em *Personal Knowledge* (1958), Polanyi expressou tal fato de modo representando o conhecimento pessoal como um grande iceberg: a parte emersa seria o que é passível de explicitação e o montante submerso corresponderia à dimensão tácita do conhecimento, que sustenta o que é explícito ou explicitável. Um atleta, por exemplo, pode demonstrar uma extrema competência na realização de determinada prova, ainda que não consiga explicar em palavras as ações que realiza. Por razões análogas, um aluno pode conhecer um assunto e não ter um bom desempenho em uma prova.

A relação entre o conhecimento focal, que se pode explicitar, e o conhecimento subsidiário, ou tácito, que subjaz em qualquer tema não é a mesma que existe entre o que se conhece conscientemente e o que se tem registrado, de alguma forma, no inconsciente, como bem registra Polanyi (1983):

> é um erro identificar a consciência subsidiária com o inconsciente... O que torna uma consciência subsidiária é a função que ele preenche; ela pode ter qualquer grau de consciência, embora sua função seja a de apontar para o objeto em que focalizamos a atenção. (p. 95)

Apesar da distinção supra-referida, uma comparação entre os elementos do par consciente/inconsciente e a que subsiste entre o conhecimento tácito e o explícito pode ser esclarecedora da necessidade, da imanência da dimensão tácita. De fato, as ações de uma pessoa "normal" são continuamente motivadas tanto por elementos conscientes quanto por elementos inconscientes. A pretensão da plena consciência corresponderia a uma exacerbação do ego mais propriamente associada a uma patologia. A interação e a mescla de elementos conscientes e inconscientes, com os últimos sustentando os primeiros, constitui o natural fluir de uma existência ordinária.

Analogamente, não seria razoável pretender-se que todo o conhecimento sobre qualquer tema possa tornar-se focal, que seja explícito ou mesmo explicitável. O reconhecimento da necessária dimensão inconsciente dos processos psíquicos corresponde, pois, à consciência do papel fundamental desempenhado pelo conhecimento tácito na sustentação daquilo que é passível de explicitação.

Os processos de avaliação centram as atenções, como não poderia deixar de ser, apenas na dimensão tácita do conhecimento. Normalmente, são examinados os conteúdos disciplinares, expressos por meios lingüísticos ou lógico-matemáticos, permanecendo ao largo todas as motivações inconscientes, todos os elementos subsidiários que necessariamente sustentam tais conteúdos.

Ao pretender-se que todo conhecimento deve estar a serviço das pessoas, de seus projetos, de seus interesses como cidadãos, é fundamental, portanto, uma reconfiguração dos instrumentos de avaliação, buscando-se canais adequados para a emergência, em cada pessoa, do conhecimento tácito que subjaz. O deslocamento das atenções dos conteúdos disciplinares para as competências pessoais constitui um passo decisivo nesse sentido. Uma breve reflexão sobre o papel mediador das competências será realizada a seguir.

## 4.17 A mediação das competências

Numa sociedade em que o conhecimento transformou-se no principal fator de produção, é natural que muitos conceitos transitem entre os universos da economia e da Educação. Idéias como as de qualidade, projeto e valor são exemplos importantes desse trânsito, bem como da cautela necessária para lidar com ele. Ilustremos, sucintamente, com alguns exemplos.

A idéia de qualidade na empresa não significa o mesmo que na escola. Uma categoria chave para a caracterização da qualidade na empresa é a de *cliente*, e um princípio a ser considerado é o de que o cliente deve sempre estar satisfeito, deve sempre ter razão. Na escola, a categoria *cliente* ocupa um papel secundário: o protagonista é o cidadão. Claro que o consumidor, ou o cliente, constitui uma dimensão da formação do cidadão, mas reduzir a idéia de cidadão à de mero consumidor é uma simplificação absolutamente inaceitável.

Projetos e valores também apresentam características muito diversas, quando se referem aos universos das empresas ou das escolas. Entre um projeto empresarial e um projeto educativo as diferenças incluem principalmente a amplitude das variáveis e dos valores envolvidos. De modo geral, a mais complexa das empresas é mais simples, do ponto de vista dos projetos que a mobilizam, do que a mais simples das escolas. Ainda que a redução dos valores empresariais à dimensão econômica possa ser uma caricatura, ela não é mentirosa, e seguramente a questão dos valores no universo educacional é muito mais fecunda e abrangente.

A palavra *competência* também comparece no discurso dos administradores da chamada "economia do conhecimento". Nesse contexto, não basta dispor de certa tecnologia para auferir lucros: é fundamental idealizar produtos que a utilizem adequadamente e que penetrem no mercado. A idéia de competência surge, então, como a de uma capacidade de transformar uma tecnologia conhecida em um produto suficientemente atraente para atrair consumidores. Trata-se de uma noção extremamente pragmática, que pode ser caracterizada, grosseiramente, como a colocação do conhecimento (tecnológico) a serviço de empresas ou de empreendedores, visando ao lucro.

Também é interessante analisar o parentesco semântico existente entre as idéias de *competência* e de *competitividade*. A origem comum é o verbo *competir (com+petere)*, que originariamente, em latim, significava *buscar junto com, esforçar-se junto com, ou pedir junto com*. Apenas no latim tardio passou a prevalecer o significado de *disputar junto com*. Quando se disputa um bem material juntamente com alguém, é natural o caráter mutuamente exclusivo: para alguém ganhar, alguém deve perder. O mesmo não necessita ocorrer quando, por outro lado, o "bem" que se disputa, ou que se busca junto com alguém, é o conhecimento. Pode-se dar ou vender o conhecimento que se tem sem ter que ficar sem ele. Além disso, o conhecimento não é um bem fungível, não se gasta: quanto mais usamos, mais novo ele fica. Isso acarreta necessariamente uma ampliação no significado original da competição, no sentido de se buscar junto com.

No contexto educacional, mesmo mantendo o caráter de mediação, a idéia de competência é muito mais abrangente e fecunda. No documento básico referente ao Exame Nacional do Ensino Médio, por exemplo, as competências são associadas a "modalidades estruturais da inteligência", ou a "ações e operações que utilizamos para estabelecer relações com e entre objetos, situações, fenômenos e pessoas". Tal caracterização pode ser imediatamente associada a idéias anteriormente mencionadas, conforme explicitaremos a seguir.

Como já foi dito, o conhecimento é aqui caracterizado como uma rede de significações, onde os diversos nós/significados são construídos dualmente por meio de relações estabelecidas entre eles. Além disso, também já se chamou a atenção para o fato de que todo conhecimento justifica-se apenas na medida em que é mobilizado a serviço das pessoas. Assim, uma vez que não basta apenas o voluntarismo, ou uma declaração de intenções, abre-se a porta, naturalmente, para a emergência de um elemento mediador entre o conhecimento e a inteligência, para operacionalizar o deslocamento do foco das atenções das matérias, ou dos conteúdos disciplinares, para a construção da cidadania, para as pessoas, com seus projetos.

Algo análogo se poderia dizer relativamente à necessidade de consideração do conhecimento tácito que subjaz a qualquer forma de explicitação: a grande questão é como promover a emergência do tácito no explícito.

Nos dois casos, a idéia de competência como mediação é esclarecedora e parece inteiramente adequada.

Tanto no que se refere à instrumentação da inteligência pelo conhecimento, quanto no enraizamento do conhecimento explícito no tácito que subjaz, as competências representam a potencialidade para a realização das intenções supra-referidas: articular os elementos dos pares conhecimento/inteligência e tácito/explícito.

Os vestibulares, por exemplo, procuram avaliar o conhecimento explícito sobre as diversas disciplinas. Quando o que se busca é o desenvolvimento das potencialidades humanas, a construção da identidade pessoal e da cidadania, é natural que se procure reconhecer as motivações mais radicais das questões usualmente formuladas nos âmbitos das disciplinas. É possível, então, mapear um espectro de formas de manifestação de tais potencialidades, que podem ser denominadas habilidades. Uma análise de tais habilidades, por sua vez, pode revelar um "núcleo duro" das mesmas, um conjunto de capacidades fundamentais, que se irradiam pelas habilidades e se manifestam por meio dos conteúdos disciplinares: as competências são os elementos desse conjunto nuclear. Estimular e avaliar tal conjunto de competências é o que verdadeiramente importa: as disciplinas são instrumentos para atingir tal meta. Nesse sentido é que foram caracterizadas, sinteticamente, competências como a capacidade de expressão, tanto na língua materna quanto em diferentes linguagens, de compreensão de fenômenos, de resolução de problemas, de construção de argumentos para viabilizar uma interação comunicativa, de articulação entre o individual e o coletivo, por meio da elaboração de projetos/propostas de intervenção na realidade.

É importante salientar que as idéias de disciplina e de competência não disputam o mesmo espaço. Se, como já foi dito, o quadro de disciplinas representa um mapeamento do conhecimento em sua dimensão explícita ou explicitável, um espectro de competências como o anteriormente referido, além situar-se no caminho da articulação entre o conhecimento e a inteligência, constitui uma tentativa de compreensão do modo como o conhecimento explícito enraiza-se no tácito. Tal enraizamento, fundamental para fomentar a emergência do conhecimento, tem o significado de uma inserção do conhecimento disciplinar em um contexto mais amplo, em uma realidade plena de vivências, sendo propriamente caracterizado como uma **contextuação***.

## 4.18 Síntese: da interdisciplinaridade à contextuação*

A insatisfação com a excessiva fragmentação a que o trabalho multidisciplinar tem conduzido é responsável pelo aparente consenso em torno da necessidade da interdisciplinaridade. Entendida, no entanto, como mero incremento das relações entre as disciplinas, mantidos seus respectivos objetivos/objetos, e mantidas as relações determinadas pelo sistema que constituem, as ações interdisciplinares têm produzido efeitos apenas paliativos.

Associada a esse fato, cresce a consciência da necessidade de organização do trabalho escolar em torno de objetivos que transcendam os limites e os objetos das diferentes disciplinas, o que tem contribuído para situar no centro das atenções a idéia de transdisciplinaridade.

No mesmo sentido, consolida-se a sensação de que o conhecimento precisa estar a serviço da inteligência, e a transdisciplinaridade passa a significar o deslocamento do foco das atenções dos conteúdos disciplinares para os projetos das pessoas.

Para que tais concepções possam produzir efeitos, é necessário repensar-se a própria concepção de conhecimento, incrementando-se a importância da imagem do mesmo como uma rede de significações, em contraposição e complementação à imagem cartesiana do encadeamento, predominante no pensamento ocidental. Ao lado do acentrismo e da metamorfose, a heterogeneidade é uma característica das redes de significações que constitui um natural convite ao trabalho transdisciplinar.

Por outro lado, sempre conhecemos, sobre qualquer tema, muito mais do que conseguimos expressar, lingüística ou conscientemente, e esse conhecimento tácito é absolutamente fundamental para a sustentação daquele que se consegue explicitar. Como as avaliações levam em consideração essencialmente a dimensão explícita, é necessário desenvolver-se estratégias de enraizamento de tais formas de manifestação nas componentes da dimensão tácita do conhecimento, continuamente alimentadas por elementos culturais de natureza diversa.

Tal enraizamento na construção dos significados constitui-se por meio do aproveitamento e da incorporação de relações vivenciadas e valorizadas no contexto em que se originam, na trama de relações em que a realidade é tecida; em outras palavras, trata-se de uma contextuação.

Etimologicamente, contextuar significa enraizar uma referência em um texto, de onde fora extraída, e longe do qual perde parte substancial de seu significado.

Analogamente, no sentido em que aqui se utiliza, contextuar é uma estratégia fundamental para a construção de significações. Na medida em que incorpora relações tacitamente percebidas, a contextuação enriquece os canais de comunicação entre a bagagem cultural, quase sempre essencialmente tácita, e as formas explícitas ou explicitáveis de manifestação do conhecimento.

Em "The End of Education" (1995), Postman defende o ponto de vista de que o significado da vida expressa-se por meio de uma narrativa, ou de que sem uma narrativa, a vida não tem significado; sem significado, a Educação não tem propósito; e a ausência de propósito é o fim da Educação.

Tal associação da vida a uma densa teia de significações, como se fosse um imenso texto, conduz a que a contextuação seja naturalmente associada a uma necessidade aparentemente consensual de aproximação entre os temas escolares e a realidade extra-escolar.

Assim, muito do que se busca por meio de rótulos como interdisciplinaridade, transdisciplinaridade, ou mesmo transversalidade atende pelo nome de contextuação.

* Apesar do uso freqüente da palavra *contextualização*, segundo o dicionário de CALDAS AULETE, entre outros, o ato de se referir ao contexto é expresso pelo verbo **contextuar**, de onde deriva a palavra **contextuação**

# Referências Bibliográficas

capítulo 1

BACHELARD, Gaston (1968) O Novo Espírito Científico. Rio de Janeiro: Tempo Brasileiro.

BALLY, Gustav (1958) - El Juego como expresión de libertad. México: Fondo de Cultura Económica.

BARBIER, Jean-Marie (1993)- Elaboração de Projetos de Acção e Planificação. Porto: Porto Editora.

BORGES, Jorge Luís (1989) - Obras Completas - Volume I (1923-1972). Buenos Aires: EMECÉ Editores.

BOSI, Alfredo (1992) - Dialética da Colonização. SãoPaulo: Companhia das Letras.

BOUTINET, Jean Pierre (1996) - Antropologia do Projecto. Lisboa: Instituto Piaget.

BRUSATIN, M. (1992) - Desenho/projecto. Enciclopédia EINAUDI, V.25, Porto: Imprensa Nacional/Casa da Moeda.

CAILLOIS, Roger (1986) - Los Juegos y los Hombres. México: Fondo de Cultura Económica.

CALDAS AULETE (1958) - Dicionário Contemporâneo da Língua Portuguesa. Rio de Janeiro: Editora Delta.

CALVO, F. (1992) - Projecto. Enciclopédia EINAUDI, V.25, Porto: Imprensa Nacional/Casa da Moeda.

BARCA, Calderón de la (1952) - La vida es sueño. Buenos Aires: ESPASA-CALPE.

CARVALHO, Adalberto Dias. de (1994) - Utopia e Educação. Porto: Porto Editora.

CHOAY, Françoise (1980) - A Regra e o Modelo. São Paulo: Perspectiva.

ELIAS, Norbert (1994) - A Sociedade dos Indivíduos. Rio de Janeiro: Jorge Zahar.

ENTRALGO, Pedro Laín (1984) - La espera y la esperanza. Madrid: Alianza Editorial.

FONSECA, António Manuel (1994) - Personalidade, Projetos Vocacionais e Formação Pessoal e Social. Porto: Porto Editora..

HANDY, Charles (1986) - El futuro del trabajo humano. Barcelona: Ariel.

HUIZINGA, Johan (1972) - Homo Ludens. Madrid: Alianza.

KILPATRICK, W. H. (1918) - The project method. In: Teachers College Bulletin. New York: pp.3-18.

LÉVY, Pierre (1994) - L'Intelligence Collective. Paris: La Découverte.

MARÍAS, Julián (1988) - La felicidad humana. Madrid: Alianza.

_____ (1985) - Breve Tratado de la Ilusión. Madrid: Alianza.

_____ (1994) - Tratado de lo mejor. Madrid: Alianza.

_____ (1966) - Introdução à Filosofia. São Paulo: Duas Cidades.

MARINA, José Antonio (1995) - Teoria da Inteligência Criadora. Lisboa: Caminho da Ciência.

_____ (1997) - El misterio de la voluntad perdida. Barcelona: Anagrama.

MIEGGE, Mario (1989) - Vocation et Travail. Genève: Labor et Fides.

MINSKY, Marvin (1985) - A Sociedade da Mente. Rio de Janeiro: Francisco Alves.

ORTEGA Y GASSET, José (1983) - Sobre la razón histórica. Madrid: Alianza Editorial.

_____ (1987) - Obras Completas. Volume 2. Madrid: Alianza Editorial/Revista de Occidente.

POSTMAN, Neil (1996) - The End of Education: Redefining the value of school. New York: Vintage Books

RICOUER, Paul (1977) - Interpretação e Ideologias. Rio de Janeiro: Francisco Alves.

_____ (1995) - Em torno ao político. São Paulo: Loyola.

SANTOS, Boaventura de Souza (1995) - Pela mão de Alice (O social e o político na pós-modernidade). São Paulo: Cortez..

SIMON, Herbert (1981) - As ciências do artificial. Coimbra: Arménio Amado.

capítulo 2

AYTO, J. (1990) - Arcade - Dictionary of Word Origins. Arcade Publishing: New York.

BLIKSTEIN, I. (1988) - Kaspar Hauser ou A Fabricação da Realidade. São Paulo: Cultrix.

CARTER, S. L. (1996) - Integrity. BasicBooks: New York.

FONSECA, A. M. (1994) - Personalidade, Projectos Vocacionais e Formação Pessoal e Social. Porto: Porto Editora.

FREIDSON, E. (1998) - Renascimento do Profissionalismo. São Paulo: EDUSP.

HELLER, A., FEHÉR, F. (1998) - A Condição Política Pós-Moderna. Rio de Janeiro: Civilização Brasileira.

MACHADO, N. J. (1997) - Cidadania e Educação. São Paulo: Escrituras.

MARÍAS, J. (1988) - La felicidad humana. Madrid: Alianza.

SULLIVAN, W. M. (1995) - Work and Integrity - The crisis and promise of professionalism in America. Harper Business: New York.

TOURAINE, A. (1997) - Podremos vivir juntos? Buenos Aires: Fondo de Cultura Económica.

WIEVIORKA, M. (1996) - Une societée fragmentée? Le multiculturalisme en débat. Paris: La Découverte.

capítulo 3

AYTO, John (1990) - Dictionary of Word Origins. New York: Arcade Publishing.

GINZBURG, Carlo (1989)- Mitos, emblemas, sinais. São Paulo: Cia das Letras.

MACHADO, N. J. (1995) - Epistemologia e Didática. São Paulo: Cortez Editora.

MACHADO, N. J. (1997) - Cidadania e Educação. São Paulo: Escrituras Editora.

SEN, Amartya (1989) - Sobre ética y economía. México: Alianza Editorial.

capítulo 4

BARTHES, R. (1988)- O Rumor da Língua. São Paulo: Brasiliense.

CARVALHO, A. D. (1988)- Epistemologia das Ciências da Educação. Porto: Afrontamento.

CALDAS AULETE (1958) - Dicionário Contemporâneo da Língua Portuguesa. Rio de Janeiro: Editora Delta.

COMTE, A. (1976) - Discurso sobre o espírito positivo. Porto Alegre: Globo/EDUSP.

DESCARTES, R. (1978) - Discurso sobre o método. São Paulo: Hemus.

GUSDORF, G. (1984) Para uma Pesquisa Interdisciplinar. In: Diógenes V. 7, Antologia. Brasília: Editora da UnB.

MACHADO, N. J. (1995) Epistemologia e Didática. São Paulo: Cortez.

PIAGET, J. (1978) - Introdución a la Epistemologia Genética (3 volumes). Buenos Aires: Paidós.

PIATELLI-PALMARINI, M. (1983) Teorias da Linguagem/Teorias da Aprendizagem. São Paulo: Cultrix/EDUSP.

POLANYI, M. (1958) - Personal Knowledge. New York: Cambridge Univ. Press.

POLANYI, M. (1983) - The Tacit Dimension. New York: Cambridge Univ. Press.

POST, N. (1996) - The End of Education. New York: Vintage Books.

SERRES, M. (s/d) - A Comunicação. Porto: Rés.

# Dados do Autor

**Nílson José Machado** nasceu em Olinda, Pernambuco, em 1947, e vive em São Paulo desde 1964. É professor da Universidade de São Paulo, inicialmente no Instituto de Matemática e Estatística (1972), e a partir de 1984, na Faculdade de Educação, onde é Livre-Docente, tendo chefiado o Departamento de Metodologia do Ensino e Educação Comparada de 1996 a 2000. No biênio 1993-1994, foi professor-visitante do Instituto de Estudos Avançados da USP, no Programa Educação para a Cidadania, tendo participado do Conselho de Coordenação da Cátedra UNESCO/USP de Educação para a Paz, os Direitos Humanos, a Democracia e a Tolerância, de 1996 a 1998. Publicou diversos livros didáticos ou paradidáticos para os três níveis de ensino, além de outros, frutos de seu trabalho acadêmico, mencionados a seguir:

**Matemática e Realidade**
*Análise dos pressupostos filosóficos que fundamentam o ensino de Matemática*
(São Paulo, Cortez Editora, 1ª ed. 1987, 4ª ed. 1997)

**Matemática e Língua Materna**
*Análise de uma impregnação mútua*
(São Paulo, Cortez Editora, 1ª ed. 1990, 4ª ed. 1999)

**Matemática e Educação**
*Alegorias, tecnologias e temas afins*
(São Paulo, Cortez Editora, 1ª ed. 1992, 2ª ed. 1995)

**Epistemologia e Didática**

*As concepções de conhecimento e inteligência e a prática docente*

(São Paulo, Cortez Editora, 1ª ed. 1995, 3ª ed. 1999)

Na ESCRITURAS EDITORA, publicou o volume inicial da Série *Ensaios Transversais*, intitulado

**Cidadania e Educação**

(1ª ed. 1997, 2ª ed. 1999)

Pela mesmo editora, publicou ainda o livro de poemas **Plantares** (1997).

# Títulos Publicados desta Coleção

how Sr D promotes the work of projects =
what comes before the act of *projectar*
is imaginar, illusão, imaginação, the
condition that makes a PROJECT
possible.

"desiludidos"

Projectos

jogos       illusões

Sr D is a utopia

Impresso em abril de 2000, em off set 75 g/m$^2$
nas oficinas da Lis Gráfica

*Não encontrando este livro nas livrarias,*
*solicite-o diretamente à editora.*

Escrituras Editora e Distribuidora de Livros
Rua Maestro Callia, 123 - Vila Mariana  04012-100 - São Paulo,  SP
Tel/Fax: (11) 5082 4190 - http://www.escrituras.com.br
Administrativo - email: escrituras@escrituras.com.br
Arte - email: arte@escrituras.com.br